365 pensées de la sagesse chinoise pour mieux vivre

Graphisme : Geneviève Guertin

Photographie : Shutterstock

Dépôts légaux : 4e trimestre 2010
Bibliothèque nationale et archives du Québec
Bibliothèque nationale du Canada

Imprimé au Canada

ISBN : 978-2-89638-861-5

Introduction

La pensée chinoise parcourt les civilisations depuis des millénaires, et elle semble loin d'être essoufflée. Introverti mais affamé de savoir et en quête perpétuelle de sagesse, le peuple chinois a gardé vivant un prodigieux répertoire de pas moins de cent mille proverbes, tous plus significatifs les uns que les autres. La tradition orale se porte garante de la transmission de ces bulles de connaissance.

La quintessence des maximes, pour autant que l'on s'y arrête, vise toujours à rapprocher l'humain de la vérité ou, à tout le moins, de ce que nous appelons chez nous « le gros bon sens ». À chacun de s'y arrêter et d'y réfléchir en son âme et conscience pour profiter pleinement de l'enseignement promulgué par le vieil adage...

La plupart des devises chinoises sont anonymes, et la philosophie sous-tendue prône inexorablement la recherche et l'atteinte de quatre vertus fondamentales à l'harmonie, soit l'humanité, la justice, le respect des devoirs rituels et la connaissance.

Souvent formulés par le biais de métaphores accolées à des réalités culturelles ou énoncés dans un jargon émanant de la mentalité chinoise, les dictons nous laissent parfois bouche bée ou interrogateurs, nous, les Occidentaux. C'est pourquoi vous trouverez un bref commentaire pour chaque proverbe, lequel vous permettra de vérifier votre propre interprétation.

« Celui qui se livre à l'étude de la sagesse a en vue les émoluments qu'il en peut retirer », disait Confucius. Sur cette pensée avisée de l'un des plus vieux sages que la Terre ait porté, laissez-vous tenter par l'expérience de la pratique du discernement à travers le quotidien, en portant votre réflexion sur un proverbe différent chaque jour. Qui sait, peut-être que l'enseignement qui y est prescrit vous permettra de trouver quelques réponses à votre questionnement intérieur ou vous aidera à développer votre sens critique...

1er janvier

À la mort, les poings sont vides.

Commentaire

Lorsqu'on se retrouve six pieds sous terre, il est trop tard pour vouloir reprendre le temps perdu. C'est quand on est vivant qu'il faut profiter de chaque jour offert pour se lancer avec passion dans la quête de ses rêves.

2 janvier

À qui sait attendre, le temps ouvre les portes.

Commentaire

Dicton correspondant à « Tout vient à point à qui sait attendre ». En faisant preuve de patience, de persévérance, en prenant le temps qu'il faut pour faire les choses, pour laisser venir les choses, on finit par réussir et obtenir ce que l'on veut.

3 janvier

À quoi sert d'avoir la crainte du Ciel pour boussole, si la conscience ne tient pas le gouvernail.

Commentaire

On a beau aller à l'église tous les dimanches et clamer sa foi à qui mieux mieux, mais si on n'en applique pas les fondements, ou que l'on porte des jugements sur les autres, ou encore que l'on agit sans le moindre scrupule, égard, ni considération envers ses semblables dans le seul but de servir ses fins, il est vain d'implorer le Ciel.

4 janvier

Avaler le médicament et négliger la diète, c'est détruire la science du médecin.

Commentaire

Faire des choix en fonction de se conformer aux désirs des autres ou de répondre à des normes sans tenir compte de sa pensée propre et de ses valeurs personnelles est le reflet d'une incohérence qui mène à la destruction de son « moi » authentique.

5 janvier

Au cheval le plus sûr ne lâche pas la bride.

Commentaire

Même si on a confiance et qu'on a le sentiment que c'est la meilleure chose à faire ou la meilleure décision à prendre, il faut assurer ses arrières tout en allant de l'avant.

6 janvier

Balayez la neige devant votre porte avant de faire des plantes sur le gel qui recouvre le toit de votre voisin.

Commentaire

Ne pas partir en peur ! Commencer par le commencement, faire les choses graduellement, une à une, réaliser son projet en respectant son rythme et en n'omettant pas d'étapes. Au fur et à mesure, on s'aperçoit si l'idée de départ est réalisable ou non.

7 janvier

Ce ne sont pas les mauvaises herbes qui étouffent le bon grain, c'est la négligence du cultivateur.

Commentaire

C'est la foi dans la solidité de ses valeurs et l'honnêteté que l'on démontre envers soi-même qui permettent de résister aux influences contraires à sa nature. Les pressions extérieures ne peuvent bâillonner les convictions d'un être en paix avec lui-même.

8 janvier

L'homme supérieur est comme l'archer, qui n'atteint pas toujours son but, mais qui ne s'en prend qu'à lui-même.

– Confucius

Commentaire

Chacun est maître de sa destinée, responsable de ses choix, de ses faits et gestes. Ainsi, la personne qui accepte de ne pas toujours avoir raison, qui assume les conséquences et embrasse les responsabilités qu'entraînent ses décisions révèle une grande maturité.

9 janvier

Avoir trop d'esprit, c'est n'en avoir pas assez.

Commentaire

On a beau être une personne très connaissante et très perspicace, mais quand on fait étalage de ses capacités impunément et quand on se sert de son savoir outrageusement dans le seul but d'impressionner la galerie, on souffre d'un manque flagrant de finesse et d'intelligence.

10 janvier

Lorsqu'on a fait de grandes choses et obtenu la gloire, il faut se retirer à l'écart.

– Lao-Tseu

Commentaire

Une fois qu'on a eu l'occasion de se faire valoir, d'accéder à certains privilèges et de bénéficier de la reconnaissance publique, il est de mise de céder la place afin que d'autres puissent profiter, à leur tour, de l'abondance disponible.

11 janvier

Celui qui a déplacé la montagne, c'est celui qui a commencé par enlever les petites pierres.

Commentaire

Il faut bien commencer quelque part ! C'est l'addition des petits gestes du quotidien et des efforts constants qui, au bout du compte, amène les résultats les plus impressionnants.

12 janvier

Ce n'est pas l'eau qui doit vous servir de miroir, c'est le peuple.

Commentaire

Ce n'est pas en se regardant le nombril que l'on apprend qui l'on est vraiment. Chaque individu reflète une partie de ce que nous sommes. Notre voisin, notre collègue de travail, notre frère, même notre pire ennemi porte une trace de nous et nous rappelle ainsi que nous ne sommes qu'un être humain, avec des défauts et des qualités, comme lui.

13 janvier

C'est se rendre complice d'une impertinence que d'en rire.

Commentaire

Ne pas intervenir ou feindre de n'avoir rien vu lorsqu'on est témoin d'un acte condamnable, de propos blessants lancés à la figure de quelqu'un ou d'une situation injuste signifie que l'on acquiesce et que l'on est aussi coupable que la personne qui commet le geste répréhensible.

14 janvier

Cent non font moins mal qu'un oui jamais tenu.

Commentaire

Ce n'est pas toujours facile de se faire dire non. Cependant, on sait exactement à quoi s'en tenir et on peut remercier la personne pour sa franchise. Mais un oui sorti de peur et motivé par la seule crainte de décevoir ou de blesser fait perdre temps et confiance. Se défiler de ses engagements ou de ses promesses dénote un manque de respect envers les autres.

15 janvier

Celui qui est venu dans l'obscurité s'en va par les ténèbres.

Commentaire

Quand la ligne de conduite de quelqu'un est dictée par les mauvaises intentions et le désir de manipuler, il ne faut pas se surprendre de voir se créer un climat et des circonstances qui l'entraîneront dans la déveine.

16 janvier

Bien manger, c'est atteindre le Ciel.

Nourrir son corps judicieusement, c'est une preuve de respect envers soi. Une alimentation saine permet à l'organisme d'être en santé et de remplir toutes ses fonctions dans l'harmonie. Cet équilibre physique entraîne inévitablement l'équilibre mental et spirituel car, en médecine traditionnelle chinoise, ces trois facettes de l'être sont indissociables et interdépendantes. C'est ainsi que l'on peut aspirer au bien-être total.

17 janvier

Ceux qui ne sont pas vertueux, je les traite comme des gens vertueux et ils deviennent vertueux.

Commentaire

Si on veut tirer le meilleur de quelqu'un, il faut lui montrer et lui faire ressentir le meilleur. Quand on se comporte respectueusement envers quelqu'un, quel qu'il soit, on finit par éveiller son sentiment de considération.

18 janvier

Entre époux, pas de querelle qui résiste à la nuit.

Commentaire

Pour favoriser l'entente dans le couple, il est primordial de régler tous les petits accrocs ou les gros problèmes sur l'oreiller afin de ne pas s'endormir dans la rancœur. En plus de troubler le sommeil, celle-ci peut prendre des allures disproportionnées et envenimer les jours à venir.

19 janvier

La vie d'un homme est comme une chandelle dans le vent.

Commentaire

Comme la flamme qui risque de s'éteindre à tout moment, la vie de l'être humain est infiniment fragile, elle ne tient qu'à un fil. Il suffit d'un seul souffle du destin pour mettre fin à l'existence d'un individu.

20 janvier

Le moment donné par le destin vaut mieux que le moment choisi.

Faire confiance aux événements au lieu de les forcer indûment. Les occasions offertes de façon inattendue par la vie constituent toujours un accès direct à l'atteinte de ses objectifs, et ce, peu importe les problèmes et les embûches qui les accompagnent. Les difficultés sont des outils servant à l'évolution personnelle.

21 janvier

Le dragon dans les eaux profondes devient la proie des crevettes.

Commentaire

La puissance et la prestance ne servent à rien en certaines occasions ou quand on n'est pas dans son élément. On a beau être l'homme le plus fort, la femme la plus riche et la plus idolâtrée, arrivent inévitablement des moments dans la vie où l'on est vulnérable et sans défense.

22 janvier

Laisse toujours une petite place à l'erreur.

Commentaire

La perfection n'est pas de ce monde, et il est vain de la rechercher obstinément, de l'exiger de soi et des autres. À trop courir après l'idéal, l'absolu, l'utopique, on perd l'essence des choses et la joie de les accomplir. Les bévues, les maladresses et les quiproquos sont inévitables. Il faut apprendre à tirer le meilleur parti de ce que l'on est.

23 janvier

Le chien au chenil aboie à ses puces ; le chien qui chasse ne les sent pas.

Commentaire

Il n'y a rien comme avoir une vie active et remplie d'occupations variées pour ne pas permettre aux petits problèmes de prendre une place disproportionnée dans les pensées et les préoccupations du quotidien.

24 janvier

Celui qui sait vaincre n'entreprend pas la guerre.

Commentaire

Une personne qui a la certitude de posséder le potentiel nécessaire et les qualités requises pour mener une tâche à bien, n'éprouve nul besoin de s'imposer ou de provoquer des affrontements pour prouver sa compétence ou faire valoir son point.

25 janvier

Ce n'est pas le puits qui est trop profond, c'est la corde qui est trop courte.

Commentaire

Quand il nous semble difficile d'atteindre un but, un objectif ou d'assouvir un désir, ce n'est pas qu'il est inaccessible, c'est que la plupart du temps on n'a pas tout tenté, on n'a pas déployé suffisamment d'énergie pour y parvenir.

26 janvier

Avec de l'argent, on fait parler les morts; sans argent, on ne peut pas faire taire les muets.

Commentaire

L'argent ne peut pas tout acheter. Malgré toute l'importance que l'on accorde à l'argent, il existe encore des tas de choses qui ne se monnayent pas et que les plus fortunés de la Terre ne pourront jamais se procurer.

27 janvier

Après une grande haine, il reste toujours une petite haine.

Commentaire

Accorder son pardon à quelqu'un qui nous a fait du tort, accepter le repentir de l'offensant en ne laissant aucune tache de rancœur dans son âme ne veut pas dire que l'on oublie tout. Pardonner, c'est accepter la reconnaissance de la faute commise, mais pas la faute.

28 janvier

C'est le propre d'une âme magnanime de consulter les autres ; une âme vulgaire se passe de conseils.

Commentaire

Rien n'est plus enrichissant et nourrissant que l'échange de connaissances basé sur la confiance, car il permet un apprentissage rapide et une évolution agréable, alors que la fermeture aux autres alimente l'ego et creuse le sillon de l'isolement.

29 janvier

Il est plus facile de déplacer un fleuve que de changer son caractère.

Commentaire

Remettre sa personnalité en question et modifier volontairement certains traits de caractère demandent des efforts plus considérables que l'exécution et la réalisation de travaux physiques titanesques.

30 janvier

J'étais furieux de n'avoir pas de souliers; alors j'ai rencontré un homme qui n'avait pas de pieds, et je me suis trouvé content de mon sort.

Commentaire

Quand on apprend à observer les événements objectivement, on s'aperçoit qu'il y a toujours pire que soi. Cette attitude est d'un grand secours pour dédramatiser et remettre les choses en perspective.

31 janvier

Jugez des autres par vous-même et agissez envers eux comme vous voudriez que l'on agît envers vous-même.

– Confucius

Commentaire

Peu importe que la personne à qui vous avez affaire soit courtoise ou de caractère impétueux, n'imposez pas à l'autre ce que vous-même trouvez inacceptable. De ce fait, vous honorez le respect de vous-même et envers autrui.

1er février

Il n'y a pas d'économie à se coucher de bonne heure pour épargner la chandelle, s'il en résulte des jumeaux.

Commentaire

Il faut penser à projeter à plus ou moins long terme et à considérer toutes les implications d'un choix afin de voir l'impact réel d'une décision qui, à prime abord, semble avantageuse.

2 février

Le sage se demande à lui-même la cause de ses fautes, l'insensé la demande aux autres.

Commentaire

La personne équilibrée est consciente de sa nature propre et d'elle-même. Elle ne ressent pas le besoin de chercher à l'extérieur, car elle sait parfaitement que toutes les réponses à ses questions ne se trouvent nulle part ailleurs qu'en son for intérieur.

3 février

Mourir, c'est finir de vivre ; mais finir de vivre, c'est tout autre chose que de mourir.

Commentaire

Même si, en pratique, la fin de la vie devrait correspondre au moment où arrive la mort, il s'en trouve pour qui la vie est déjà terminée bien avant que la mort ne soit venue les prendre. On n'a qu'à se rappeler que certains individus passent leur existence dans un climat de guerre, d'autres sous l'emprise de maladies sévères et d'autres encore dans la pauvreté extrême ou la dépression perpétuelle.

4 février

L'homme content de son sort ne connaît pas la ruine.

– Lao-Tseu

Commentaire

Quand on sait apprécier ce que l'on possède matériellement, humainement et spirituellement, et que l'on sait en être reconnaissant, on éprouve un sentiment d'abondance permanent.

5 février

Quand il y a du riz qui moisit à la cuisine, il y a un pauvre qui meurt de faim à la porte.

Commentaire

Le respect de la nourriture, source de vie, est une vertu à entretenir. Quand on laisse les aliments se gâter ou quand on les jette sans les avoir consommés, on enlève à quelqu'un d'autre la possibilité de se nourrir. Le gaspillage est un affront inconsidéré envers ceux qui n'ont rien à se mettre sous la dent.

6 février

Toutes les fleurs de l'avenir sont dans les semences d'aujourd'hui.

Commentaire

C'est grâce aux initiatives actuelles et aux décisions prises en ce jour que la vie future pourra correspondre à nos aspirations. Il faut préparer le terrain dès maintenant pour voir poindre les résultats escomptés.

7 février

Sauver la vie d'un homme, c'est ajouter dix ans à la sienne.

Commentaire

Par le bienfait que l'on procure aux autres, on bonifie proportionnellement sa propre situation. Plus l'acte est important, plus grand est le retour du balancier.

8 février

Avec le temps et la patience, la feuille du mûrier devient de la soie.

Commentaire

En laissant agir le temps aussi longtemps que nécessaire, en le laissant faire son œuvre, les choses se transforment et prennent davantage de valeur que lorsqu'on tente d'accélérer le processus avec acharnement.

9 février

Ce ne sont pas les puces du chien qui font miauler les chats.

Commentaire

À quoi bon accuser son prochain de tous les maux dont nous souffrons. La plupart du temps, nous sommes les principaux responsables de nos malheurs, de nos difficultés et de nos périodes sombres.

10 février

Celui qui vise la perfection sera au-dessus de la médiocrité, mais celui qui vise la médiocrité tombera plus bas encore.

Commentaire

Pour éviter de s'enliser dans le piège insidieux de la paresse et de la stagnation, il vaut toujours mieux essayer de se dépasser en visant plus haut. Cette stratégie permet d'améliorer son sort et d'être en constante évolution.

11 février

C'est par le bien-faire que se crée le bien-être.

Commentaire

Les agissements et les comportements effectués en concordance avec les convictions profondes de l'être humain génèrent une harmonie et un équilibre qui se traduisent par un sentiment de satisfaction rassasiant l'âme, l'esprit et le corps.

12 février

C'est s'enrichir que s'ôter des besoins.

Commentaire

Adopter une attitude raisonnable, accepter de vivre en fonction de ses moyens en faisant des choix éclairés est davantage profitable et rend l'existence plus confortable que de se doter d'un style de vie exagérément au-dessus de ses capacités.

13 février

Chacun interprète à sa manière la musique des cieux.

Commentaire

Il n'existe pas une seule vision de la foi ; la multitude de religions, de rites et de croyances qui prévalent sur la planète en sont la preuve. Chacun a sa conception de l'au-delà et de la Force supérieure qui y réside, et chacun a sa façon de l'interpeller.

14 février

Votre corps est une parcelle de matière que le Ciel et la Terre vous ont confiée. Votre vie n'est pas à vous : c'est une partie de l'harmonie cosmique que la Terre et le Ciel vous ont confiée.

– Lie-Tseu

Commentaire

Notre passage sur la Terre en tant qu'être de chair et d'os animé par l'esprit n'est qu'une parenthèse, un passage, une permission qui nous est accordée par le Créateur de l'Univers pour expérimenter nos acquis. Notre vie terrestre est une manifestation temporaire qui nous permet de poursuivre l'évolution de notre âme dans l'Infini.

15 février

Il suffit d'un morceau de viande corrompue pour gâter le bouillon de toute la marmite.

Commentaire

Un seul individu mal intentionné peut propager sa mauvaise influence à l'intérieur de toute une collectivité et faire dégénérer une situation en un clin d'œil.

16 février

L'âme n'a point de secret que la conduite ne révèle.

Commentaire

L'attitude et l'allure physique de même que les comportements sont le code extérieur de tout ce qui est imprimé à l'intérieur de chacun. Cette traduction subtile mais fidèle des caractéristiques intrinsèques expose le côté caché de chaque personnalité à la face du monde.

17 février

Celui qui a bien mangé est en compagnie des dieux.

Commentaire

Quand l'équilibre entre le yin et le yang est atteint grâce à l'ingestion des aliments qui harmonisent les énergies, la personne ressent un bien-être qui allie ses plans physique, mental et spirituel. Ainsi, ce sentiment d'entière satisfaction l'unifie à l'Univers et la met en parfaite résonance avec l'énergie cosmique.

18 février

C'est aux pensées à nourrir les paroles, aux paroles à vêtir les pensées.

Commentaire

Il est bon de réfléchir et d'avoir des idées, mais encore faut-il savoir comment les exprimer pour les faire entendre et trouver les mots justes et significatifs pour les faire comprendre afin qu'elles se transforment en action.

19 février

Il ne faut pas allumer un feu que l'on ne peut pas éteindre.

Commentaire

Il vaut toujours mieux ne pas entreprendre un projet ou commencer quelque chose quand on sait d'ores et déjà qu'on l'abandonnera à mi-chemin ou qu'on ne pourra le rendre à terme.

20 février

Si vous employez un homme, il ne faut pas douter de lui ; si vous doutez de lui, il ne faut pas l'employer.

Commentaire

En s'entourant de gens en qui on peut avoir confiance et sur qui on peut compter, on allège la charge de travail et on facilite la vie de tout le monde concerné. La situation inverse sème la confusion, crée des frustrations et envenime le climat et les relations de travail.

21 février

Le plus grand arbre est né d'une graine menue ; une tour de neuf étages est partie d'une poignée de terre.

– Lao-Tseu

Commentaire

Il ne faut pas se laisser impressionner pas l'ampleur de la tâche à accomplir. Il suffit de commencer par le commencement, d'avancer pas à pas, de suivre le plan d'attaque et de persévérer. Graduellement, les morceaux s'imbriquent les uns dans les autres et, sans trop s'en apercevoir, arrive le jour du point final.

22 février

C'est s'aimer bien peu que de haïr quelqu'un, mais c'est haïr tout le monde que de n'aimer que soit.

Commentaire

Éprouver un sentiment de haine envers quelqu'un a un effet destructeur sur soi parce que cela canalise notre énergie dans le négativisme et la frustration ; on se nuit à soi-même en s'employant à détester. Dans le même ordre d'idée, n'être attentif qu'à ses propres besoins et n'estimer que soi, que son opinion, que sa conception des choses implique que l'on a bien peu de considération pour autrui.

23 février

C'est un tort égal de pécher par excès ou par défaut.

– Confucius

Commentaire

Est-il vraiment nécessaire d'ajouter un commentaire ? Penser aux avatars que vous ont apportés des situations dans lesquelles vous avez agi dans un sens ou dans l'autre...

24 février

Celui qui ne sait pas se fâcher est un sot, mais celui qui ne veut pas se fâcher est un sage.

Commentaire

C'est faire preuve de sagesse que de vouloir régler une situation conflictuelle en faisant respecter son point de vue fermement mais dans l'ordre et le calme, plutôt que de le faire en courbant l'échine et en renonçant à ses opinions par peur de déplaire ou de contrarier.

25 février

Il faut faire vite ce qui ne presse pas pour pouvoir faire lentement ce qui presse.

Commentaire

Si on veut pouvoir exécuter une besogne ou réaliser un projet sans avoir à subir les inconvénients et la pression du travail de dernière minute, il vaut retrousser ses manches et se mettre à la tâche dès les premiers jours de l'échéancier.

26 février

L'économie donne aux pauvres tout ce que la prodigalité ôte aux riches.

Commentaire

La surabondance et la profusion engourdissent le sentiment de satisfaction et de contentement qu'éprouvent les gens de condition modeste lorsqu'ils arrivent à s'offrir quelque chose d'inhabituel ou quelque produit de luxe.

27 février

Le savoir que l'on ne complète pas chaque jour diminue tous les jours.

Commentaire

Si on ne se préoccupe pas d'acquérir de nouvelles connaissances ou de parachever celles qui s'insinuent dans le réseau cognitif quotidiennement, la somme du savoir s'en trouve amputée et se voit restreindre ses limites.

28 février

Ne parlez pas dans la rue : il y a des oreilles sous les pavés.

Commentaire

Il est toujours préférable de faire preuve d'une grande discrétion lorsqu'on entretient des conversations dans les lieux publiques ou dans les endroits où il est facile de capter un flot de paroles... on ne sait jamais qui se trouve à proximité de soi !

29 février

N'attends pas des autres ce que tu ne veux pas leur promettre.

Commentaire

Si tu n'es pas disposé toi-même à t'engager pour faire ou pour mener à terme quelque chose, il est absolument inutile que tu puisses l'exiger d'autrui.

1er mars

Savoir que l'on sait ce que l'on sait, et savoir que l'on ne sait pas ce que l'on ne sait pas : voilà le vrai savoir.

– Confucius

Commentaire

Celui qui n'essaie pas de s'en faire accroire et d'impressionner en se mêlant de tout ou en abordant superficiellement des sujets qui lui sont plus ou moins familiers, celui-là possède la conscience de son champ de connaissances réel et de son véritable potentiel.

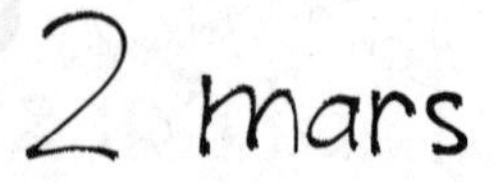

Dans le monde entier, les corneilles sont noires.

Commentaire

Il y a des choses qui sont universelles et immuables. Peu importe les efforts qu'on peut déployer pour influencer certaines personnes ou pour changer certaines situations, rien n'y fera.

3 mars

Est heureux qui sait qu'il est heureux.

Commentaire

C'est en son for intérieur que l'on sait si l'on est heureux. Ni les normes sociales, ni les commentaires de nos proches, ni les préceptes religieux, ni le niveau de confort matériel ne peuvent déterminer si l'on est une personne heureuse ou non. Il faut savoir reconnaître soi-même son bonheur pour le sentir et le vivre.

4 mars

Jusqu'à ce qu'aujourd'hui devienne demain, on ne saura pas les bienfaits du présent.

Commentaire

Le recul est presque toujours nécessaire pour voir le bien-fondé et le positif de certaines situations qui, sur le coup, peuvent paraître confuses, inconfortables, contradictoires ou injustes. Après quelque temps, on s'aperçoit bien souvent que les événements qui nous semblaient embêtants ne faisaient que préparer le terrain pour que le tout tourne en notre faveur.

5 mars

Derrière un homme capable, il y a toujours un autre homme capable.

Commentaire

Aussi compétente, intelligente, efficace et productive que puisse être une personne, il se trouvera toujours quelqu'un d'autre pour lui succéder. En fait, il n'y a personne d'irremplaçable !

6 mars

Le gain est lent comme le labour au moyen d'une aiguille ; la dépense va vite comme l'eau qui fuit dans le sable.

Commentaire

Combien de semaines, de mois, d'années de parcimonie sont nécessaires pour réussir à économiser quelque montant d'argent qui ne prendra qu'un clin d'œil pour être dilapidé ? L'épargne est une tâche de longue haleine qui exige patience et discernement.

7 mars

Le corps se soutient par les aliments et l'âme par les bonnes actions.

Commentaire

Les gestes bien intentionnés animés par la sincérité, la générosité et le désir de faire plaisir constituent la nourriture essentielle pour assurer le bien-être intérieur de l'être humain, au même titre que les aliments aident à subsister et à garantir la santé physique.

8 mars

Le malheur n'entre guère que par la porte qu'on lui a ouverte.

Commentaire

On est plus souvent qu'autrement l'artisan de sa propre malchance et le responsable de ses déboires, soit en ne prenant pas les bonnes décisions, soit en n'effectuant pas les choix appropriés, soit en ne faisant pas confiance aux bonnes personnes, etc.

9 mars

La vaine gloire a des fleurs et n'a point de fruits.

Commentaire

La gloire est éphémère et ne peut durer éternellement. Aussi excellent soit-on dans ce que l'on fait, il n'est pas raisonnable d'avoir les honneurs et le prestige comme but premier, car une fois qu'ils seront passés, que restera-t-il ?

10 mars

Les jolies filles ne sont pas toujours heureuses et les garçons intelligents sont rarement beaux.

Commentaire

Comme dirait l'autre : « On ne peut pas tout avoir ! » Dans la vie, il faut savoir tirer le meilleur de ce qui nous est donné pour nous en servir à bon escient.

11 mars

L'envie est comme un grain de sable dans l'œil.

Commentaire

L'envie est un sentiment insidieux qui amène la rage, la haine, l'exaspération et qui réveille les instincts destructeurs. Elle mine la patience, embrouille l'esprit et irrite l'âme avec autant d'insistance qu'une poussière qui se loge dans l'œil.

12 mars

Les cœurs les plus proches ne sont pas ceux qui se touchent.

La proximité physique et le nombre de démonstrations à connotation affective ne sont pas les véritables indicateurs de la profondeur et la sincérité des sentiments qui relient deux êtres impliqués dans une histoire amicale ou amoureuse.

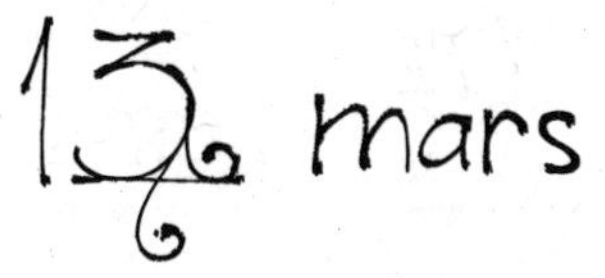

Les beaux chemins ne mènent pas loin.

Quand on décide toujours de prendre les moyens les plus faciles et les moins exigeants, on n'a pas à relever grand défi. On se limite à peu de chose. Les parcours raboteux sont sûrement moins séduisants, mais ils permettent d'avancer en se mesurant à soi-même et aux autres, d'aller au bout de soi.

14 mars

Le secret le mieux gardé est celui qu'on garde pour soi.

Commentaire

La seule façon d'être absolument certain de conserver la confidentialité d'une pensée profonde ou d'une information très personnelle, c'est de ne pas la partager, ni la dire à qui que ce soit. Dès qu'une autre personne connaît notre secret, ce n'est plus un secret.

15 mars

Le repentir est le printemps des vertus.

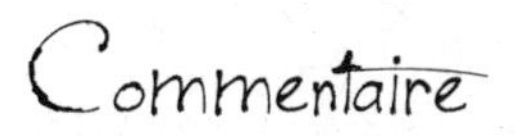

Faute avouée à moitié pardonnée ! Quand on est capable de reconnaître ses torts sincèrement, on est pourvu d'une dose d'humilité et d'ouverture à autrui suffisante pour ouvrir la porte à d'autres qualités vertueuses.

16 mars

Le plus beau lendemain ne rend pas la veille.

Commentaire

Le temps qui passe ne revient jamais. Il ne faut pas attendre les jours meilleurs, il faut les projeter, les bâtir, les faire venir pour pouvoir les vivre avec contentement et sans regret des jours, des semaines et des années écoulés à les préparer.

17 mars

Les paroles sincères ne sont pas élégantes ; les paroles élégantes ne sont pas sincères.

– Lao-Tseu

Commentaire

Attention, les mots ne reflètent pas toujours le fond de la pensée. Les paroles directes d'un ami peuvent froisser, mais on peut être assuré qu'elles sont bien intentionnées, contrairement à des compliments flatteurs qui, bien souvent, servent bien de façade à des arrière-pensées...

18 mars

Ne chassez pas un chien avant de savoir qui est son maître.

Commentaire

On ne sait jamais à qui on a affaire. Même un pur inconnu peut avoir un lien intime, amical ou professionnel avec un proche ou avec une personne de notre entourage. La fermeté apprêtée avec diplomatie est signe de sagesse et d'intelligence.

19 mars

L'homme maître de soi n'aura point d'autre maître.

Commentaire

Quand on se connaît bien soi-même, c'est-à-dire que l'on a déterminé ses points forts, ses points faibles, ses qualités, ses défauts, son potentiel, ses aspirations et ses valeurs, personne ne peut s'immiscer dans nos prises de décision et prendre le contrôle de notre vie.

20 mars

Pourquoi se jeter à l'eau avant que la barque n'ait chaviré ?

Commentaire

Il ne faut pas abandonner tant et aussi longtemps qu'il reste des occasions auxquelles on peut s'accrocher, tant et aussi longtemps qu'il subsiste une parcelle d'espoir et que tout n'a pas été tenté.

21 mars

Sous un bon gouvernement, la pauvreté est une honte ; sous un mauvais gouvernement, la richesse est aussi une honte.

– Confucius

Commentaire

Quel que soit le type de dirigeants qui se retrouvent à la tête d'un gouvernement et quel que soit le genre de gestion qu'ils exercent, la juste répartition des richesses de même que le bien-être pour tous les citoyens devraient être l'objectif premier de toute administration publique.

22 mars

Ayez du thé, du vin, et vos amis seront nombreux ; soyez dans l'adversité, un seul homme vous visitera-t-il ?

Commentaire

Faire preuve d'ouverture d'esprit, de respect et de générosité envers son prochain incite ce dernier à entrer dans ce monde de partage et à agir lui-même de la sorte. Adopter une attitude de fermeture, de dénigrement et de méfiance éloigne tout ami potentiel.

23 mars

C'est dormir toute la vie que de croire à ses rêves.

Commentaire

Il est primordial d'avoir des rêves, ils sont souvent la base, l'idée maîtresse de projets audacieux. Mais passer son temps dans son imaginaire sans faire de geste concret pour réaliser l'objet de sa vision fait de la vie une illusion, un mirage permanent.

24 mars

Cultiver les sciences et ne pas aimer les hommes, c'est allumer un flambeau et fermer les yeux.

Commentaire

Il est très méritoire d'acquérir des connaissances et de détenir un savoir imposant, mais si on n'a pas l'intention d'en faire bénéficier son entourage immédiat, sa communauté ou l'humanité entière, à quoi toute cette science, toute cette compétence servira-t-elle ?

25 mars

De même que le fleuve retourne à la mer,
le don de l'homme revient vers lui.

Commentaire

Puisque chaque individu est conçu pour accomplir une tâche, pour remplir un rôle particulier sur la Terre, il doit se connaître suffisamment pour cerner sa personnalité, pour honorer son talent et l'exploiter de façon à exécuter ce pour quoi il est destiné.

26 mars

Il vaut mieux allumer une seule et minuscule chandelle que de maudire l'obscurité.

Commentaire

Au lieu de se plaindre continuellement, d'accuser les autres de tous les maux et de se croire victime des événements, il vaut toujours mieux tenter la plus modeste des actions afin de remédier au problème. Aide-toi et le Ciel t'aidera !

27 mars

Celui qui sait s'arrêter ne périclite jamais.
– Lao-Tseu

Commentaire

Quand on connaît ses limites et qu'on les respecte, on ne risque pas de s'en mettre trop sur les épaules, de perdre le contrôle et de voir s'échapper les gains durement acquis. Qui trop embrasse, mal étreint.

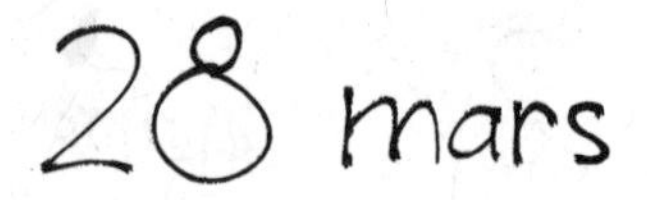

Il n'est pas de cuiller qui ne heurte jamais le bord de la marmite.

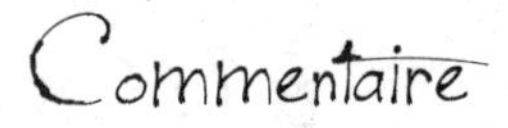

Il y a des obstacles qui sont inévitables. Il y a des étapes qui ne sont pas escamotables. Il y a des choses, des personnes, des événements devant lesquels on ne peut se défiler et qui sont sur notre chemin pour nous permettre d'apprendre et de devenir plus fort.

29 mars

Les hommes sont différents dans la vie, semblables dans la mort.

– Lie-Tseu

Commentaire

Chaque être humain a sa façon de voir et de faire les choses. Chaque être humain adopte des idées, des comportements qui correspondent à ses croyances et à ses valeurs, et chemine à sa manière. Mais toutes les vies humaines ont une seule et même issue...

30 mars

D'un âne qui ne veut pas boire, on ne peut abaisser la tête.

Commentaire

Il est inutile de déployer toutes les énergies du monde pour essayer d'influencer ou d'amener quelqu'un à agir si ce dernier n'est pas animé par sa propre volonté. Les motivations personnelles constituent le moteur le plus efficace pour passer à l'action.

31 mars

Chaumière où l'on rit vaut mieux que palais où l'on pleure.

Commentaire

Toute la richesse du monde ne peut conforter l'âme en peine, ni assurer la paix intérieure. Des draps de satin et de la vaisselle bordée de carats ne sont pas d'un grand secours pour réconcilier un couple en chicane ou pour combler la solitude.

1er avril

Il est plus facile à une prostituée vêtue de fourrure d'entrer au temple, qu'à dix honnêtes femmes de pénétrer la maison d'un homme de bien.

Commentaire

Le jugement des êtres humains est d'une sévérité implacable comparativement à l'amour inconditionnel de l'Infini. Rien n'est plus cruel et tranchant que le verdict de l'homme envers ses semblables.

2 avril

Connaître son ignorance est la meilleure part de la connaissance.

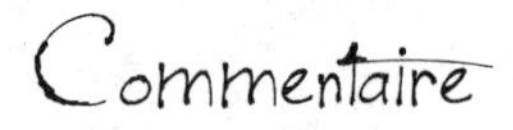

Une personne qui est consciente de ce qu'elle ne sait pas use avec discernement et humilité son bagage réel de connaissances. Une personne qui fait semblant de savoir ce qu'elle ne sait pas patauge sans cesse dans l'incompétence et détruit sa crédibilité.

3 avril

Il est facile de recruter mille soldats, mais il est difficile de trouver un général.

Commentaire

Peu de gens sont disposés à porter le poids des responsabilités que la vie leur incombe. Il est plus aisé de rentrer dans les rangs et de suivre le flot des normes sociales que de mettre l'effort et de se démarquer pour mener sa barque comme on l'entend.

4 avril

Il est un temps pour aller à la pêche et un temps pour faire sécher les filets.

Commentaire

Il est important de travailler quand il faut se mettre à l'œuvre, mais il faut savoir également se reposer pour profiter de ce que la vie apporte et se ressourcer. Le dosage en tout est un apprentissage de sagesse.

5 avril

La vie de l'homme sur la Terre, c'est comme un cheval blanc sautant un fossé et qui disparaît soudain.

Commentaire

La vie ne tient qu'à un fil, il suffit de peu de chose pour qu'elle nous glisse entre les doigts. La conscience de l'éphémère devrait inciter chaque personne à ne plus banaliser le quotidien. On ne sait jamais quand notre heure va sonner...

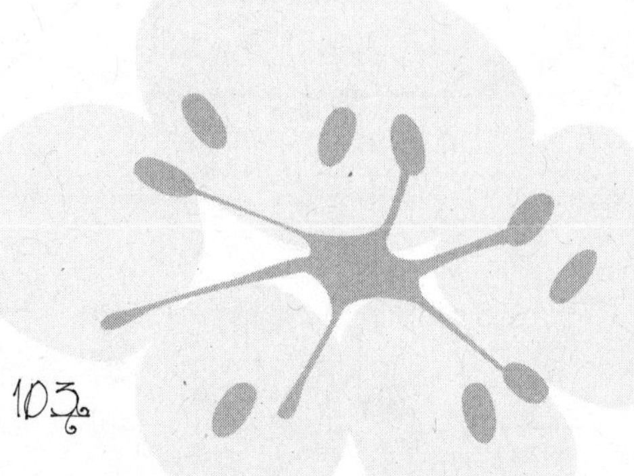

6 avril

Les bons conseils pénètrent jusqu'au cœur du sage ; ils ne font que traverser l'oreille des méchants.

Commentaire

Ceux qui ne tiennent pas compte de l'opinion des gens qui les entourent ont encore beaucoup de chemin à parcourir pour acquérir la sagesse de ceux qui sont capables d'écouter et de recevoir l'avis des autres.

7 avril

Les hommes diffèrent moins par leurs complexions naturelles que par la culture qu'ils se donnent.

Commentaire

Plus que les caractéristiques physiques, les croyances et les valeurs sont ce qui différencient vraiment les hommes entre eux. Il suffit d'observer les enfants en très bas âge, encore intacts et non imprégnés par les stéréotypes culturels et sociaux, pour s'apercevoir comme ils sont ouverts les uns aux autres. Ils sont la preuve qu'à la base, nous sommes des créatures semblables, nous sommes tous les mêmes.

8 avril

Les princes ne songent à rendre leurs sujets heureux que lorsqu'ils n'ont plus rien à faire.

Commentaire

Ce n'est qu'après avoir assouvi leur soif de pouvoir, après avoir rempli leurs coffres ou après avoir obtenu tout ce qu'ils désiraient que les têtes dirigeantes privées ou publiques et les nantis se préoccupent de ceux qui leur ont permis d'accéder à leur statut tant convoité.

2 avril

L'imprévoyant creuse un puits quand il a soif.

Commentaire

Pourquoi attendre d'être dans le pétrin ou d'être acculé au pied du mur pour réagir? La prévoyance évite l'apparition même du problème éventuel tout en permettant une distribution des énergies plus adéquate.

10 avril

On a beau noyer sa raison dans le vin, on n'y noie pas le sujet de ses peines.

Commentaire

L'ivresse n'est pas une solution pour aplanir les difficultés, elle peut engourdir la souffrance momentanément et permettre un instant d'évasion, mais ne parvient jamais à guérir le mal en soi. Une fois les vapeurs de l'alcool dissipées, on s'aperçoit vite que le problème, lui, subsiste toujours.

11 avril

Quand la main désigne le but, l'innocent regarde la main.

Commentaire

Au lieu de faire du surplace en se laissant impressionner par la tâche à accomplir et en figeant devant les moyens à prendre pour atteindre son objectif, il faut se laisser porter vers le but visé en regardant dans sa direction.

12 avril

Prêter, c'est jeter dans le vent; recouvrer, c'est trouver.

Commentaire

Lorsqu'on décide de prêter quelque chose à quelqu'un, il vaut mieux ne pas s'attendre à ce qu'on nous rende l'objet de l'emprunt. Ainsi, lorsqu'on nous rapporte la chose en question, c'est comme si on nous faisait un cadeau.

13 avril

Qui cache ses fautes en veut faire encore.

Commentaire

En refusant d'admettre qu'elle a commis une erreur ou qu'elle dissimule son agissement fautif, une personne démontre non seulement qu'elle manque d'honnêteté envers elle-même et son prochain, mais qu'elle se garde la porte ouverte pour récidiver à coup sûr !

14 avril

Tu ne peux et manger ton gâteau et vouloir qu'il en reste.

Commentaire

Définitivement, on ne peut pas tout avoir! Il faut accepter les conséquences des gestes que l'on pose pour être en mesure de les apprécier et d'en profiter pleinement. Il est primordial d'apprendre à faire des choix en focalisant sur les avantages et le sentiment de satisfaction qu'ils procurent.

15 avril

L'homme de quarante ans qui s'attire encore la réprobation des sages, c'en est fait, il n'y a plus rien à espérer.

– Confucius

Commentaire

D'après Confucius, la quarantaine est l'étape ultime pour accéder à la sagesse. Si tel n'est pas le cas, il n'y a rien qu'une personne puisse faire pour rattraper le terrain perdu. N'attendez donc pas d'avoir vécu la moitié de votre existence avant de parcourir et d'explorer les sentiers de la vertu maîtresse, celle qui permet d'accéder à la supériorité.

16 avril

Il est plus facile de savoir comment on fait une chose que de la faire.

Commentaire

En théorie, tout va toujours bien, mais lorsque vient le temps de la mise en pratique, c'est là que ça se complique! Ce n'est qu'une fois sur le terrain que l'on est à même de constater les difficultés réelles. Ce n'est que lorsqu'on a les deux mains dans la pâte que l'on sait si l'on peut composer avec les imprévus et les embûches que le plan sur papier ou le principe théorique ne considère pas.

17 avril

Croire à la pitié d'autrui est aussi fou que de compter sur la flamme d'une lampe.

Commentaire

Il est aussi risqué de penser que l'on peut s'en remettre à la sensibilité, à l'empathie et à la compassion des autres que d'espérer pouvoir se servir d'une flamme à tout moment et en toute circonstance.

18 avril

Il n'est pas de joie qui égale celle de se créer de nouvelles amitiés.

Commentaire

Faire entrer une nouvelle personne dans sa vie et l'accueillir dans les rangs réservés à l'amitié devraient représenter l'un des plus grands bonheurs de la vie. L'amitié est un sentiment qui doit être source de joie et porteur de satisfaction.

19 avril

Il est difficile d'attraper un chat noir dans une pièce sombre, surtout lorsqu'il n'y est pas.

Commentaire

Quand ça ne tourne pas rond et que ça ne va pas comme on voudrait, on a tendance à voir les choses pire qu'elles ne le sont et à se créer des difficultés qui n'ont pas leur raison d'être. Pourquoi chercher des problèmes quand il n'y en a pas ?

20 avril

Il ne peut pas pleuvoir chez le voisin sans que j'aie les pieds mouillés.

Les événements qui touchent les gens qui nous entourent ne sont pas sans avoir d'impact sur nous-mêmes. On ne peut pas rester indifférent à la misère ou à la joie des autres, on doit s'impliquer et partager.

21 avril

Il est sur terre trois poisons mortels : le vent qui filtre par un trou, la queue du scorpion et le cœur d'une marâtre.

Commentaire

Il existe trois grandes plaies dont il faut se méfier pour ne pas courir à sa perte : l'insidieux, l'hypocrisie et la méchanceté. En évitant de tomber dans ces trois pièges, on s'assure d'être maître de sa vie et d'échapper aux manipulateurs.

22 avril

Deux seules voies à la vérité: les belles-lettres et l'agriculture.

Commentaire

Pour atteindre l'harmonie, il faut viser à avoir un esprit sain dans un corps sain. C'est en nourrissant tant l'intellect que le corps que l'on peut accéder à cet équilibre qui passe nécessairement par la culture de la nourriture de l'esprit et la culture des aliments bons pour l'organisme physique.

23 avril

Pour un mot, un homme est réputé sage ;
pour un mot, un homme est réputé sot.

– Confucius

Commentaire

Il faut bien peser ses propos avant d'ouvrir la bouche, ou bien, tourner la langue sept fois avant de parler... Le temps de réflexion que l'on prend avant de s'exprimer peut nous empêcher de commettre une bévue, de blesser ou d'être faussement jugé.

24 avril

Il y a toujours une conséquence pour le bien et le mal ; si elle tarde, c'est que l'heure n'est pas venue.

Commentaire

Peu importe la nature et l'intention de nos agissements, on doit toujours s'attendre à ce qu'il y ait un retour des choses, et ce, indépendamment du temps que cela peut prendre. N'oubliez pas : on récolte ce que l'on sème.

25 avril

La sainteté est une conquête et non une grâce.

Commentaire

Pour être un homme meilleur, il ne suffit pas de prier en espérant recevoir un don du Ciel. Pour devenir un homme meilleur, il faut assumer les expériences que la vie met sur notre route afin de tirer les leçons qui permettent d'acquérir les qualités vertueuses tant convoitées.

26 avril

L'amour est tout yeux et ne voit rien.

C'est bien connu : l'amour rend aveugle ! Les étincelles de la passion amoureuse rendent le regard des amants scintillant, voire éblouissant. Mais ces éclats peuvent voiler dangereusement la réalité et rendre les gens épris vulnérables et facilement manipulables.

27 avril

Le riche exagère encore plus sa bonne volonté que le pauvre sa misère.

Commentaire

Les plaintes de celui qui vit dans la misère n'équivaudront jamais aux vantardises de celui qui vit dans l'abondance. Les gens habitués à vivre modestement sont plus discrets et moins enclins à donner de l'importance à leurs malheurs que les gens qui exhibent leur opulence à étaler leurs bonnes actions.

28 avril

L'empereur ne se porte jamais aussi bien à Pékin que lorsqu'on le dit malade à la campagne.

Commentaire

Il ne faut pas croire aveuglément tout ce que l'on dit. Il est souhaitable d'apprendre à se forger une opinion personnelle et à ne pas croire d'emblée aux rumeurs qui sont bien souvent à mille lieux de la réalité.

29 avril

Ceux qui s'avancent trop précipitamment reculeront encore plus vite.

– Mencius

Commentaire

Tout vient à point à qui sait attendre. Bien souvent, quand on veut aller trop vite, on est forcé de revenir sur ses pas soit parce qu'on a oublié quelque chose, soit parce qu'on l'a mal fait. Le temps nécessaire à chacune des étapes d'une démarche doit être alloué pour arriver aux résultats escomptés.

30 avril

Les objets donnés ressemblent au donateur.

Commentaire

On donne souvent aux autres ce que l'on aimerait recevoir soi-même ou s'offrir à soi-même. C'est pour cette raison que l'on peut dire que lorsqu'on remet un cadeau, celui-ci comporte inévitablement une partie de soi et il est une sorte de représentation de soi auprès de la personne à qui on le dédie.

1er mai

Les excès tuent plus sûrement que les épées.

Commentaire

Les exagérations, les épreuves extrêmes et les exigences que l'on s'impose à soi-même portent davantage atteinte que les blessures qui peuvent nous être infligées par des événements ou par de tierces personnes. La vertu se trouve dans le juste milieu, dit-on...

2 mai

Après une faute ne pas se corriger : c'est la vraie faute.

– Confucius

Commentaire

Combien de fois entendons-nous dire l'inflexible excuse : « Ah ! je ne peux pas me changer, je suis fait comme ça ! » Il ne suffit pas de demander pardon en prétextant qu'on a tort mais qu'on n'y peut rien. Il est certes fort louable d'admettre ses manquements, ses inconduites et ses erreurs, mais encore faut-il le faire sincèrement en ayant la ferme intention d'y remédier.

3 mai

Savoir se contenter de ce que l'on a : c'est être riche.

– Lao-Tseu

Commentaire

La richesse n'est pas qu'un synonyme du chiffre qui solde un compte bancaire. Le contentement et le sentiment d'abondance remplissent le cœur de celui qui est capable de reconnaître la valeur des choses, des gens qui l'entourent, et qui sait apprécier tout ce que la vie lui apporte. L'indifférence, elle, finit par être l'habitude de celui dont l'aisance financière a engourdi la capacité d'émerveillement et qui ne comprend pas sa chance.

4 mai

Le travail de la pensée ressemble au forage d'un puits ; l'eau est trouble d'abord, puis elle se clarifie.

Commentaire

Pour arriver à produire des idées fraîches, à se tailler une opinion solide, à produire une réflexion éclairée ou à comprendre de nouvelles notions, l'intellect doit d'abord affronter le brouillard de l'inconnu, du doute ou de l'opposition. Temps, patience, recherche, remise en question et discernement sont les outils qui permettent à la lumière d'émerger et à la pensée de faire son chemin.

5 mai

Le père de tout le monde n'est pleuré par personne.

Commentaire

À force d'essayer de donner et de plaire à tous et chacun, on finit par ne toucher personne. Les gens qui semblent être de toutes les occasions, qui semblent connaître tout le monde et qui semblent être appréciés de tous ne le sont parfois que très superficiellement.

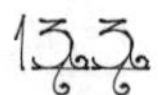

6 mai

Les paroles des cœurs unis sont odorantes comme des parfums.

Commentaire

La sincérité de propos échangés entre deux personnes produit la même sensation bienfaisante que les effluves agréables d'un parfum que l'on aime. Il faut se fier à son « renifleur » intérieur pour détecter les conversations futiles et vides.

7 mai

Le silence est un ami qui ne trahit jamais.

– Confucius

Commentaire

Quand on veut être absolument sûr que l'une de nos pensées secrètes ne soit jamais divulguée, il faut la garder pour soi. Les confidents, amis, conjoints, collègues, parents, aussi intimes soient-ils, ne sont pas infaillibles à la loi du silence.

8 mai

Le grand défaut des hommes est d'abandonner leurs propres champs pour ôter l'ivraie de ceux des autres.

– Mencius

Commentaire

On est trop souvent plus enclins à tout donner aux autres au risque de s'oublier soi-même et de courir à sa perte. On essaie de satisfaire tout le monde et, pendant ce temps, notre avoir est laissé en plan et se détériore. Il faut honorer et respecter ce que nous avons au lieu de vénérer ce qui est ailleurs.

2 mai

Le riche songe à l'année qui vient, le pauvre pense au jour présent.

Commentaire

La prévoyance limite l'ampleur des conséquences de la malchance et de l'impondérable. Celui qui profite du moment présent tout en ayant bien en vue ses objectifs futurs s'assure l'abondance, alors que celui qui se concentre uniquement sur le moment présent sans provoquer d'action risque de vivre sans cesse sur la corde raide et dans l'incertitude.

10 mai

Le saint ne s'attache pas à ses mérites, et c'est pourquoi ils ne le quittent point.

– Lao-Tseu

Commentaire

À combien de reprises entendons-nous de la bouche de ceux qui se retrouvent sous les projecteurs ou qui reçoivent une médaille pour avoir sauvé la vie de quelqu'un le commentaire suivant: «J'ai seulement fait ce qu'il fallait faire. Je n'ai pas pensé que j'agissais en héros.» Celui qui agit en âme et conscience ne ressent nul besoin de se vanter de ses bons coups et ne pense jamais à étaler ses talents, car il vit tout simplement en accord avec ses valeurs intrinsèques; il applique ses croyances, il prêche par l'exemple. Avec une telle philosophie, on est sûr de ne jamais diluer l'essence de sa personnalité et de conserver ses facultés intactes.

11 mai

L'homme supérieur se tient dans le juste milieu.

– Confucius

Commentaire

L'exagération, qu'elle soit orientée positivement ou négativement, mène tout droit au déséquilibre et à l'anéantissement de tous les efforts déployés (anorexie/boulimie ; passivité/surmenage, etc.). Celui qui recherche l'équilibre et l'harmonie marche dans la voie du confort et de la sagesse.

12 mai

L'encre la plus pâle vaut mieux que la meilleure mémoire.

Commentaire

Les paroles s'oublient, les écrits restent. Tout comme il est préférable d'inscrire ses pensées pour éviter qu'elles ne se perdent dans l'oubli, il vaut mieux traduire ses idées par des actions concrètes si on veut les voir se réaliser et s'inscrire dans l'histoire de sa vie personnelle.

13 mai

Ce sont les vieux amis qui sont les meilleurs, ce sont les nouveaux habits qui sont les meilleurs.

Commentaire

Il est bon de travailler avec ses valeurs profondes sans pour autant se fermer systématiquement aux idées nouvelles. C'est la prise en considération de tout ce qui existe, c'est l'ouverture de l'esprit qui permet une évolution constante de l'humain.

14 mai

Dans un étang, il n'y a pas de place pour deux dragons.

Commentaire

Afin d'éviter les mésententes, les affrontements et les guerres de pouvoir au sein d'une communauté ou d'une entreprise, il vaut mieux reconnaître le meneur, départager les responsabilités et établir des lignes de conduite claires afin que tous les intervenants du groupe orientent leurs énergies dans la voie qui leur est attribuée pour l'atteinte du but final.

15 mai

Il y a trois sortes de piété filiale : la plus haute est de venir en aide à nos parents, la suivante est de ne pas les affliger, la dernière est de les supporter.

Commentaire

Toute société qui se respecte devrait porter en haute estime ses aînés et reconnaître leur valeur en les honorant de trois façons : en les aidant lorsqu'ils en ont besoin, en ne leur faisant pas de peine et en les acceptant tels qu'ils sont. Une communauté qui a de la considération pour ses défricheurs est une communauté qui bâtit sur des fondements d'humilité.

16 mai

La mauvaise herbe, vous ne devez pas la couper, mais la déraciner.

Commentaire

Vous ne devez pas vous contenter de régler un problème à la surface, vous vous devez d'aller à la racine même de la situation ambiguë. Comme le chiendent, les difficultés qui ne sont pas traitées à la source reviennent et prolifèrent.

17 mai

Le bavardage est l'écume de l'eau, l'action est une goutte d'or.

Commentaire

Il ne reste souvent plus grand-chose des beaux discours une fois qu'ils ont été dits, alors que les gestes, eux, sont davantage un signe d'implication réelle et d'un désir véritable de concrétiser quelque chose.

18 mai

Quatre chevaux attelés ne peuvent ramener dans la bouche des paroles imprudentes.
– Confucius

Commentaire

Pour ne pas être rongé par les remords et les regrets, ou pour échapper à une situation embarrassante, il vaut mieux réfléchir et peser ses paroles avant de parler, car on ne peut ni reprendre ni effacer ce qui a été dit.

19 mai

Un voyage de mille lis a commencé par un pas.

– Lao-Tseu

Commentaire

Les plus grandes réalisations, les exploits les plus phénoménaux, les événements les plus grandioses sont tous le résultat d'une somme de gestes; ils ont tous débuté par une première action. Peu importe le temps qu'il faut allouer pour atteindre un but, peu importe le nombre d'étapes à franchir pour réaliser un projet, l'important, c'est de s'y mettre.

20 mai

L'amour est tout yeux et n'en a pas un seul de bon.

Commentaire

Il faut se méfier du sentiment amoureux, car il fausse les perceptions et fait jeter un regard biaisé sur la réalité de celui ou celle qui se laisse enflammer. L'amour fait perdre toute objectivité.

21 mai

Le fond du cœur est plus loin que le bout du monde.

Commentaire

Le voyage le plus long, le plus laborieux et le plus exigeant n'est pas celui qui mène aux antipodes de la planète, mais bien celui qui oblige l'être humain à rentrer en lui, à pénétrer en son for intérieur, à se rendre dans le noyau même de sa personnalité. Le trajet qui conduit à la vérité, à l'authenticité et à la sincérité est le plus lointain qui soit.

22 mai

L'archer est un modèle pour le sage : quand il a manqué le centre de la cible, il s'en prend à lui-même.

Commentaire

Il n'y a rien de plus formateur et de constructif que d'assumer la pleine responsabilité de ses erreurs et de se servir de ces dernières comme de correctifs permettant des améliorations aux façons de procéder. Il est infantile d'imputer aux autres les fautes que l'on commet.

23 mai

L'eau courante ne se corrompt jamais.

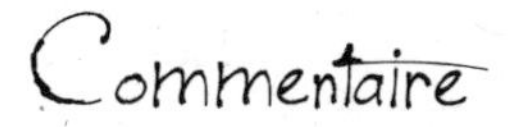

Tant et aussi longtemps que le corps et l'esprit sont en mouvement, il n'y a pas de place pour l'angoisse et le défaitisme. Avoir des projets, cultiver le désir d'apprendre, se donner des objectifs à court, moyen et long terme, être actif, voilà autant de façons de rester alerte et en harmonie.

24 mai

Le filet du ciel est immense et ses mailles sont écartés, mais il n'y a pas un méchant qui puisse l'éviter.

– Lao-Tseu

On ne peut échapper à la justice ultime de l'Infini. Les individus qui se croient rusés et qui pensent avoir déjoué tout le monde, ceux qui arrivent à leurs fins en ayant manipulé outrageusement leurs semblables, les assoiffés de pouvoir qui ont étanché leur soif en faisant fi de la liberté des autres, tous ces fins finauds devront répondre de leurs actes quand ils voudront accéder aux sphères célestes de l'Éternel. Le passage sur la terre n'est qu'une étape dans la vie de l'âme...

25 mai

L'ouvrier qui veut bien faire son travail doit commencer par aiguiser ses outils.

– Confucius

Commentaire

Le temps que l'on accorde à la phase préparatoire d'un ouvrage ou d'une tâche à accomplir rapporte toujours au bout du compte. Que cette préparation soit la mise en place d'objets ou l'élaboration d'une stratégie, elle permet la réalisation d'un travail clair et précis.

26 mai

Les hommes entrent dans la vie et en sortent comme la navette passe et repasse sur le métier à tisser.

Commentaire

On a souvent l'impression qu'on a toute la vie devant soi et qu'on a tout ce temps à sa disposition. Pourtant, une vie, c'est vite passé ; le temps d'une vie est vraiment peu de chose quand on le compare à l'existence de l'humanité ou à celle de l'univers.

27 mai

Le sage ne se débat pas contre le sort.

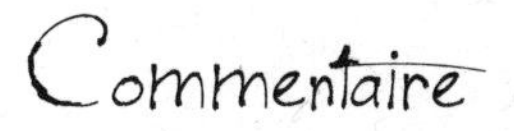

À quoi bon s'acharner contre l'inévitable ou contre les événements qui sont imposés ? La personne clairvoyante y verra plutôt une occasion pour apprendre quelque chose sur elle-même, pour se mesurer aux éléments et pour en ressortir grandie.

28 mai

L'homme n'est pas vertueux sans exhortation, ni une cloche harmonieuse sans être ébranlée.

Commentaire

L'être humain évolue en acceptant de surmonter les embûches qu'il rencontre sur son parcours de vie et en travaillant à son bonheur. L'homme doit acquérir la sagesse, car elle ne lui est pas donnée gratuitement.

29 mai

Ne cherchez pas à échapper à l'inondation en vous accrochant à la queue d'un tigre.

Commentaire

Rien n'est moins certain que de se fier à la magnanimité d'un haut placé que l'on croit son allié pour se sortir du pétrin. Aussi modestes soient les ressources sur lesquelles on peut compter, on est toujours mieux d'assurer soi-même ses arrières.

30 mai

Mieux vaut mécontenter par cent refus que manquer à une seule promesse.

Commentaire

Honorez vos engagements, si vous voulez que l'on vous respecte et que l'on vous fasse confiance les yeux fermés ! Votre réputation n'aura d'égale que votre capacité à répondre à vos obligations ; c'est pourquoi il est plus louable de dire non à ce que vous ne pouvez achever plutôt que de manquer à votre parole.

31 mai

On peut devenir parfait, mais ignorer la perfection : voilà la perfection.

– Tchouang-Tseu

Commentaire

La beauté absolue des choses réside dans l'accomplissement guidé par la recherche du plaisir qu'on éprouve à l'exécuter, et non dans l'obstination de l'achèvement sans imperfection visant le jugement admiratif des autres.

1er juin

Le milieu est le point le plus voisin de la sagesse. Il vaut autant ne pas l'atteindre que le dépasser.

– Confucius

Commentaire

Une personne qui veut trop bien faire et qui démontre trop de bonnes intentions n'obtient pas de résultats plus fructueux que celle qui n'en fait pas assez. Quand on se fie au « gros bon sens », on a plus de chance de trouver le bon dosage des efforts à déployer et l'équilibre entre le faire et le laisser-faire. Trop, c'est comme pas assez !

2 juin

Lorsqu'on tombe, ce n'est pas le pied qui a tort.

Commentaire

Chaque être humain est le seul responsable de ses actes et de ses décisions. Chaque geste posé, qu'il soit d'origine consciente ou inconsciente, découle d'une commande juste ou erronée passée par l'individu lui-même. La réponse à la cause d'un incident dans lequel on est impliqué se trouve presque toujours en soi.

Ne donne jamais la peau si tu peux payer avec de la laine.

Commentaire

Cette maxime est d'autant plus importante à retenir à cause du contexte économique actuel! Pourquoi donner plus pour quelque chose qui, de façon évidente, ne le vaut pas? L'application de cette prémisse peut se traduire concrètement de toutes sortes de manières: en magasinant pendant les périodes de rabais, en prenant le temps de ramasser les informations permettant de faire un choix plus judicieux qui fait qu'on en a plus pour son argent, en établissant des consignes budgétaires et en les respectant, en résistant à la sollicitation, en évaluant ses besoins réels, en optant pour des pratiques sages comme le troc — échange de services, échange d'accessoires et de linge pour enfants, etc. — ou comme les commerces d'articles usagés... Quand on ouvre les yeux, il y a mille et une façons pour éviter de vivre à crédit.

4 juin

Que j'ai donc de la chance ! Toutes les fois que je commets une erreur, il y a toujours quelqu'un pour la découvrir.

– Confucius

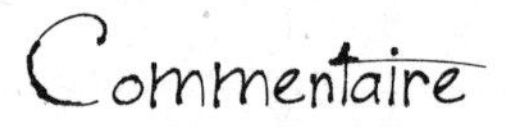

Les erreurs que l'on fait sont des occasions qui sont offertes pour apprendre, s'améliorer et aller encore plus loin. Au lieu de se rebiffer contre celui ou celle qui nous colle une remarque ou qui nous remet une faute sous le nez, on devrait la prendre en considération, y réfléchir pour se rendre compte de ce qui ne va pas et pouvoir corriger le tir. Il n'y a pas de processus évolutif sans la correction volontaire de nos erreurs.

5 juin

Quoique l'on ait de bons instruments aratoires, rien n'est avantageux comme d'attendre la saison favorable.

– Mencius

Commentaire

À quoi cela sert-il de posséder un outillage parfait, de l'équipement sophistiqué, des installations très fonctionnelles ou des employés hautement qualifiés si on ne tient pas compte de l'ensemble des facteurs qui en influencent directement le rendement ou si on n'en a pas véritablement besoin ?

6 juin

On peut guérir d'un coup d'épée, mais guère d'un coup de langue.

Commentaire

Les paroles blessantes sont bien plus dévastatrices que la douleur engendrée par une blessure physique. Le corps n'a besoin que de quelques jours ou quelques semaines pour cicatriser ses plaies, alors que l'âme, parfois, n'a pas assez de toute une vie...

7 juin

Quand on est pressé, le cheval recule.

Commentaire

Il est vain de vouloir aller plus vite qu'on ne le peut ou que les événements ne le permettent. L'insistance et l'acharnement dégénèrent souvent en embourbement, et voilà que l'on se voit obligé de reprendre une partie ou de recommencer à zéro.

8 juin

Plus les repentirs sont prompts, plus ils en épargnent d'inutiles.

Commentaire

Pourquoi tergiverser quand vient le temps d'admettre une faute ? Aller droit au but et régler la question en toute simplicité et en toute sincérité avec la personne concernée évite les méprises.

9 juin

Le plus grand conquérant est celui qui sait vaincre sans bataille.

– Lao-Tseu

Commentaire

L'être qui effectue son parcours de vie en ne perdant pas de vue ses intérêts, mais tout en respectant ceux des autres, s'attire la collaboration et la complicité volontaire de ses pairs. L'individu qui a de l'estime et de l'empathie envers ses semblables ne ressent nul besoin de « se battre » contre eux. Il évolue avec eux.

10 juin

Si le ciel vous jette une datte, ouvrez la bouche.

Commentaire

Il faut savoir profiter des occasions et des faveurs que nous accorde la vie... mais encore faut-il être capable de les voir, de les recevoir ! Reconnaître les grâces de la Providence, c'est savoir apprécier les privilèges que l'on possède déjà — et que l'on considère trop souvent comme des acquis — et être réceptif à tout ce qui contribue à embellir notre sort.

11 juin

Un bon chien ne mord pas les poules, un bon mari ne bat pas sa femme.

Commentaire

Si un animal sait d'instinct qu'il ne doit pas s'en prendre physiquement à un autre animal, comment l'homme supposément doté d'intelligence peut-il croire qu'il est légitime et admissible de faire subir des sévices corporels à sa vis-à-vis ?

12 juin

Un jour de loisir, c'est un jour d'immortalité.

Commentaire

Savoir jouir pleinement d'une journée de congé devrait procurer des sentiments de contentement et de bien-être tels que l'on se croirait au paradis. À vos prochaines vacances, offrez-vous la puissance régénératrice du plaisir.

13 juin

Un humble ami dans mon village vaut mieux que seize frères influents à la Cour.

Commentaire

Un ami sincère, de situation modeste, qui nous connaît bien et avec qui on a tissé des liens intimes et respectueux compte davantage dans notre vie affective que des membres de notre famille « bien placés » qui ne manifestent aucun intérêt pour ce que l'on est ou ce que l'on vit.

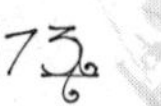

14 juin

Un homme heureux est comme une barque qui navigue sous un vent favorable.

Commentaire

Celui ou celle dont la poursuite des objectifs se vit dans des conditions harmonieuses n'a pas besoin de « pousser la machine » outre mesure. Connaître ses capacités et les utiliser à bon escient permet de s'aligner dans la bonne voie à suivre et d'aspirer pleinement à son accomplissement.

15 juin

Vous ne pouvez pas empêcher les oiseaux de la tristesse de voler au-dessus de vos têtes, mais vous pouvez les empêcher de faire leurs nids dans vos cheveux.

Commentaire

Il est impossible d'éliminer complètement la douleur, la morosité, l'abattement et l'injustice dans ce monde, mais on peut à tout le moins essayer de faire sa part pour que ces orientations négatives ne prévalent pas dans notre quotidien et n'amenuisent pas notre désir de nous accomplir.

16 juin

Dans l'homme que l'on connaît, on respecte la vertu ; dans l'homme que l'on ne connaît pas, on regarde l'habit.

Commentaire

On est porté à avoir le jugement plutôt facile envers les personnes que l'on ne connaît pas : soit on se laisse impressionner, soit on dénigre en se basant sur des détails livrés par les apparences. Pourtant, à la lumière des relations que nous entretenons avec nos proches, ne devrions-nous pas savoir que tous les êtres humains possèdent leurs forces et leurs faiblesses, et que, pour cette raison, tous méritent notre respect ?

17 juin

Dans un même pot, on ne peut faire cuire deux plats différents.

Commentaire

On ne peut prétendre pouvoir faire convenablement deux choses à la fois. Tout travail, toute action mérite qu'on lui accorde notre entière attention non seulement pour obtenir les meilleurs résultats possibles, mais pour en retirer une satisfaction sans équivoque.

18 juin

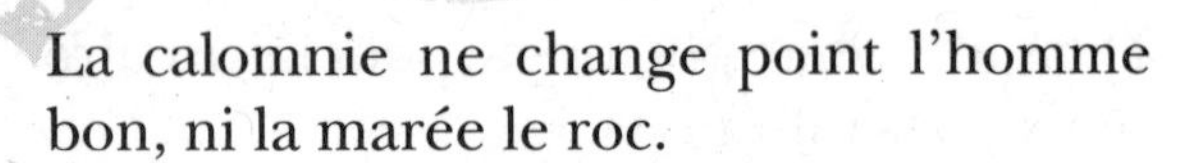

La calomnie ne change point l'homme bon, ni la marée le roc.

Commentaire

La personne sûre d'elle-même et de ses convictions, la personne équilibrée et animée d'une réelle bonté ne se laisse pas affecter par la médisance ou les attaques sournoises de ses semblables. Les insinuations et les mensonges ne peuvent que très difficilement déstabiliser une personne bien ancrée dans de solides valeurs.

19 juin

La langue résiste parce qu'elle est molle, les dents cèdent parce qu'elles sont dures.

Commentaire

Faire preuve de souplesse et de réceptivité dénote la présence d'importantes qualités qui permettent de s'adapter sereinement à une multitude de circonstances ou à des situations potentiellement conflictuelles. À l'opposé, la résistance au changement et le durcissement des positions provoquent inévitablement l'éclatement d'incontournables affrontements.

20 juin

L'amande échoit à qui n'a pas de dents.

Commentaire

Il faut toujours s'attendre à être éprouvé là où le bât blesse. Pour améliorer ses points faibles, il faut les affronter, les défier. C'est pourquoi il est vain de croire que l'on est « victime du destin » quand on se fait attaquer dans sa vulnérabilité ; au contraire, il faut en profiter pour se renforcer.

21 juin

Sur un même arbre ne poussent jamais deux sortes de fleurs.

Commentaire

Cette pensée peut être interprétée comme une métaphore de l'hérédité ou de la filiation abstraite. Du point de vue de l'hérédité, il évoque la proximité de caractère de ceux liés par le sang. Mais il peut désigner plus généralement l'unicité des effets d'une même cause.

22 juin

Le fruit mûr tombe de lui-même, mais il ne tombe pas dans la bouche.

Commentaire

Lorsqu'on est trop certain que quelque chose va tourner à son avantage parce qu'on y a mis un minimum d'effort et que l'on se croise les bras en attendant que cela se produise, on risque d'être fort déçu... Il faut investir toutes ses énergies jusqu'à la fin !

23 juin

Le chaudron de chaque famille a une poignée noire.

Commentaire

Aussi idéale paraisse-t-elle, chaque famille vit ses problèmes, chaque famille a ses difficultés. Il n'est pas une famille qui ne recèle pas de situations conflictuelles.

24 juin

La plus courte vie a des siècles de douleurs.

Commentaire

Peu importe le temps passé sur la terre et peu importe que la vie soit facile ou plus difficile, les moments de souffrance éprouvés — si courts ou si longs soient-ils — semblent toujours durer une éternité.

25 juin

La vertu est belle dans les plus laids, le vice est laid dans les plus beaux.

Commentaire

Une personne désavantagée physiquement ne nous apparaîtra jamais comme telle si son cœur est animée par la bonté, la générosité et le respect. Toutefois, la « beauté fatale » agréable à l'œil perd rapidement de son attrait lorsqu'on y décèle les traces de la condescendance et de la complaisance.

26 juin

Le mot fût-il au bord de ta langue, retiens-en la moitié.

Commentaire

Il suffit d'une parole inappropriée ou mal placée pour faire des ravages irréparables. Il est préférable de toujours peser ses mots avant qu'ils ne franchissent les lèvres et qu'ils n'atteignent malencontreusement le cœur de l'interlocuteur.

27 juin

La marchande d'éventails s'évente avec ses mains.

Commentaire

Cette marchande doit avoir quelque lien de parenté avec notre cordonnier mal chaussé ! On a beau être un fin connaisseur dans sa spécialité ou se considérer comme étant une personne avertie, cela ne nous empêche pas d'avoir à faire face à notre propre médecine.

28 juin

L'eau ne reste pas sur les montagnes, ni la vengeance sur un grand cœur.

Commentaire

La rancœur ne doit pas siéger dans notre for intérieur. Si on lui laisse avoir de l'emprise sur notre cœur, la vengeance prendra le dessus sur les autres sentiments et son pouvoir destructeur nous entraînera dans les bas-fonds de la frustration et de la colère.

29 juin

N'attendez pas d'avoir soif pour tirer l'eau du puits.

Commentaire

C'est dès les premiers signes de lassitude, de démotivation, d'ennui ou de mécontentement qu'il faut réagir afin de se remettre sur la voie de la joie et de la satisfaction. Il ne faut pas attendre l'écœurement total, car le redressement de la situation n'en sera que plus pénible ou risquera même d'apparaître impossible, portant ainsi au découragement.

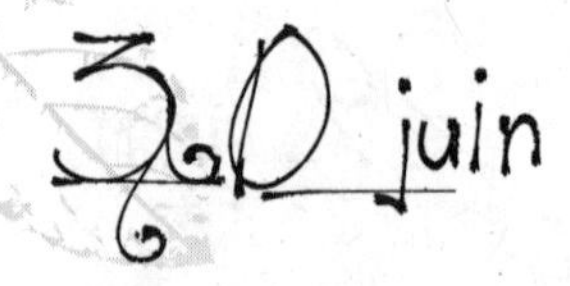

L’homme sobre qui a le nez rouge passe pour un ivrogne.

Commentaire

Il est difficile de se défaire de ses préjugés et de ne pas s’en remettre aux apparences pour se faire une opinion. C’est pourquoi il vaut toujours mieux laisser la chance au coureur avant de préétablir quoi que ce soit sur quelqu’un.

1er juillet

Si tu sais aimer les bonnes choses de la vie, tu sais aimer la vertu.

– Confucius

Commentaire

Quelqu'un qui se considère comme privilégié d'avoir ce que plusieurs jugent comme étant dû et banal — c'est-à-dire un toit, de la nourriture sur sa table tous les jours, un entourage de gens aimables, la liberté d'expression, etc. —, et qui en est reconnaissant est quelqu'un qui apprécie les valeurs fondamentales, en ne se laissant pas impressionner par le pouvoir du paraître et des pressions sociales.

2 juillet

Ne brise pas une porte de fer pour t'emparer d'un gâteau de son.

Commentaire

Apprendre à bien répartir, à bien doser ses efforts et à investir ses énergies là où ça en vaut vraiment la peine est une qualité qui permet d'éviter nombre de tracas — comme le surmenage, la dépression, la fatigue chronique, etc. Surtout dans une société qui valorise la performance et le rendement maximal à tout instant.

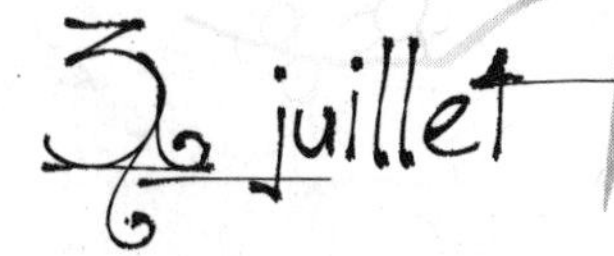

3 juillet

L'homme supérieur est amical sans être familier ; l'homme vulgaire est familier sans être amical.

– Confucius

Commentaire

Une personne vraiment respectueuse sait faire la différence entre le langage de la complicité cordiale et celui de la familiarité sans-gêne. Ce n'est pas parce qu'on connaît quelqu'un (ou qu'on a l'impression de le connaître...) qu'on peut se permettre d'agir avec désinvolture et d'entrer inopinément dans son intimité.

4 juillet

Si le médicament ne porte pas le trouble et le désordre dans le corps d'un malade, il n'opérera pas la guérison.

– Mencius

Commentaire

Dans la philosophie chinoise, la maladie est la manifestation d'un déséquilibre dans l'organisme. On aura beau prendre tous les médicaments qu'on voudra, si ces derniers ne s'attaquent qu'aux symptômes, la source du mal, elle, restera intacte et continuera à créer le dérèglement. La guérison ne se produira que lorsque l'origine du déséquilibre comme telle sera ciblée.

5 juillet

Grand est celui qui n'a pas perdu son cœur d'enfant.

– Mencius

Commentaire

Quand l'être humain réussit à conserver sa capacité de s'émerveiller, sa curiosité, son enthousiasme, son goût de jouer, de s'exprimer avec spontanéité tout au long de son existence, il se donne les attributs nécessaires pour être en mesure de reconnaître et de savourer les plaisirs que lui offre la vie.

6 juillet

Le sage regarde la vie et la mort comme le matin et le soir.

– Sie-Hoei

Commentaire

Après le soir, le matin ne revient-il pas ? Dans les sociétés occidentales, la mort est perçue comme une fin en soi. C'est pourquoi le commun des mortels en a si peur et s'affaire à trouver des façons d'en repousser les limites. Toutefois, la philosophie orientale nous fait voir que la mort terrestre peut être un début, une continuité vers autre chose, et que les craintes sont vaines.

7 juillet

Ne va pas à la chasse sans ton arc, à l'office sans les textes sacrés, ni au mariage sans ta chance.

Commentaire

Il est toujours plus avantageux de s'équiper de l'outillage approprié ou d'acquérir les connaissances inhérentes à toute activité que l'on désire entreprendre pour obtenir les meilleurs résultats.

8 juillet

L'esprit a beau faire plus de chemin que le cœur, il ne va jamais si loin.

Commentaire

Rien ne peut nous remuer, rien ne peut nous changer, rien ne peut nous transporter davantage que ce qui émane de l'âme. On a beau apprendre les plus grandes théories, on a beau acquérir les connaissances les plus savantes et les plus diverses, si cet impressionnant apprentissage se limite à l'intellect, il n'est rien comparativement à ce que l'on intègre avec ses sentiments profonds.

9 juillet

La joie est en tout, il faut savoir l'extraire.

– Confucius

Commentaire

Toute chose, tout événement comporte une parcelle de bonheur ou, à tout le moins, un côté positif. Il est de la responsabilité de chacun de le découvrir. Cette façon de voir les choses apporte son petit lot de satisfaction dans tout ce qui arrive.

10 juillet

Imposer sa volonté aux autres, c'est force. Se l'imposer à soi-même, c'est force supérieure.

– Lao-Tseu

Commentaire

Une personne qui exige d'elle-même ce qu'elle demande aux autres fait preuve de cohérence et d'intégrité. Parce qu'elle applique personnellement ce qu'elle prône, cette personne peut s'attendre à obtenir le respect et la collaboration spontanés de ses semblables.

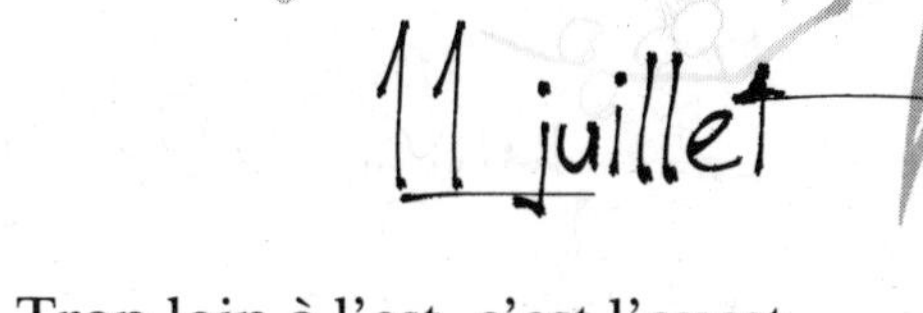

11 juillet

Trop loin à l'est, c'est l'ouest.

– Lao-Tseu

Commentaire

Quand on devance le but visé ou qu'on dépasse les balises d'un mandat qui nous est confié, on passe à côté de ce qui nous est demandé, on empiète nécessairement sur le terrain de quelqu'un d'autre et on nuit au lieu d'aider.

12 juillet

La vertu suprême ignore la vertu. C'est pourquoi elle est vertu.

– Lao-Tseu

Commentaire

Ce qui fait que quelqu'un est sage, c'est justement qu'il ne se considère pas comme tel et que ses agissements ne sont pas motivés par le désir d'être reconnu sage. Le vrai juste agit en harmonie avec ses convictions intrinsèques et son sentiment de bien-être, il ne recherche ni l'approbation ni la gratification.

13 juillet

Loin de sa maison, un homme est estimé ce qu'il paraît ; dans sa maison, un homme est estimé ce qu'il est.

Commentaire

Les points de repère qu'utilisent les étrangers pour se faire une idée de ce que nous sommes émanent de notre apparence, ils sont extérieurs ; alors que ceux qui font que nos proches savent qui nous sommes vraiment sont nos caractéristiques intérieures, intimes et personnelles.

14 juillet

Ne prends pas un fusil pour tuer un papillon.

Commentaire

Il faut être réaliste et sensé en choisissant les moyens pertinents pour réaliser ou concrétiser quelque chose. Il ne sert absolument à rien de déployer de grandes manœuvres lorsque l'objectif en vue n'en nécessite pas.

15 juillet

Plus il y a de lois, et plus il y a de voleurs.

– Lao-Tseu

Commentaire

C'est bien connu, la nature humaine est ainsi faite que les interdits l'interpellent et que les contraintes la poussent à les défier. Plus on est intolérant, plus on cherche à réglementer les comportements, à régir les modes de fonctionnement, et plus on entretient une société de contrevenants.

16 juillet

Même l'aveugle peut voir l'argent.

Commentaire

Il ne faut surtout pas sous-estimer le pouvoir de l'argent. L'ascendance qu'il exerce est telle qu'il peut parvenir à corrompre même les plus récalcitrants.

17 juillet

Le flatteur se fatigue plus que le laboureur.

– Mencius

Commentaire

L'énergie que l'on emploie à déblatérer pour se convaincre soi-même ou pour séduire les autres avec de belles paroles n'est jamais aussi efficace et rentable que celle que l'on utilise pour agir.

18 juillet

On ne doit jamais penser à la distance, quelle qu'elle soit, qui nous sépare de la vertu.

– Confucius

Commentaire

On ne doit jamais se laisser décourager ou se laisser impressionner par le travail que l'on a à faire sur soi pour accéder à la sagesse. La quête d'un idéal ne s'effectue jamais en deux temps trois mouvements. De toute façon, la patience et l'acceptation sont des qualités essentielles pour y arriver.

19 juillet

Je ne m'affligerai pas de voir que les hommes me connaissent mal, je m'affligerai de mal les connaître.

– Confucius

Commentaire

Il est inutile de s'attrister quand une personne se trompe à son sujet, toutefois on devrait être tourmenté quand on se méprend sur quelqu'un. Si chacun prenait la responsabilité de faire attention à l'autre, personne ne léserait personne.

20 juillet

Celui qui se dresse sur ses pieds ne peut se tenir droit.

– Lao-Tseu

Commentaire

Puisque tout est une question d'équilibre et de juste milieu, celui qui se met au-dessus de ses capacités, celui qui essaie d'en prendre plus qu'il ne peut provoque le déséquilibre qui le fait devenir chancelant, hésitant et dépassé par les événements.

21 juillet

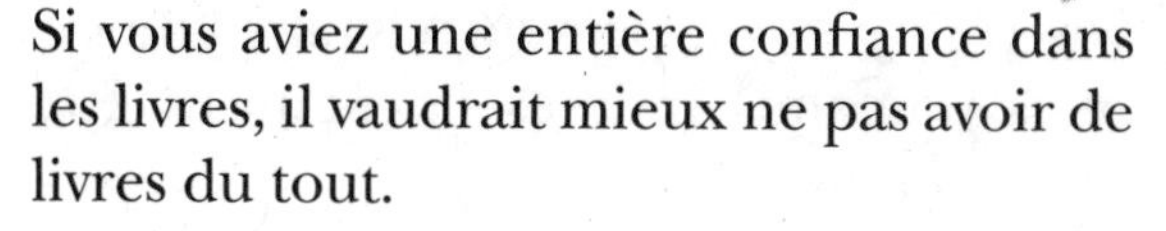

Si vous aviez une entière confiance dans les livres, il vaudrait mieux ne pas avoir de livres du tout.

– Mencius

Commentaire

Même si l'acquisition des connaissances intellectuelles peut servir à ouvrir les horizons et à éveiller la conscience, les enseignements suprêmes de la vie sont ceux que l'on apprend par l'entremise de ses propres expériences. Les coups durs, les accidents de parcours, les difficultés temporaires, les réussites et les triomphes sont autant de moyens de tirer des leçons parce qu'on les vit, non pas parce qu'on les lit.

22 juillet

Nos connaissances peuvent remplir l'Empire, mais nos amis intimes ne peuvent être que quelques-uns.

Commentaire

On a beau recenser un nombre impressionnant de personnes chères à notre cœur, mais celles qui méritent notre entière attention et notre complicité, celles qui reçoivent nos confidences, celles qui entrent dans notre intimité se comptent souvent sur les doigts d'une main.

23 juillet

L'esprit cultivé est son propre paradis, l'esprit ignorant est son propre enfer.

Commentaire

L'individu qui ne s'intéresse pas à ce qui lui est étranger, qui ne prend pas soin de nourrir son intellect se cloisonne dans une réalité très limitative. Dans cet univers fermé où les possibilités et les choix sont tellement restreints, il finit par être convaincu que sa vie est rectiligne et sans issue.

24 juillet

On apprend plus avec ses oreilles qu'avec ses yeux.

Commentaire

L'écoute est la meilleure conseillère et la meilleure institutrice qui soit. Chacun étant le reflet de l'autre, quand nous prêtons une oreille attentive et réceptive aux propos de nos semblables, à leurs drames, à leurs succès, c'est notre propre histoire que l'on peut entendre.

25 juillet

L'homme plein de vertus est semblable à un enfant, il ne craint ni les bêtes sauvages ni les serpents.

Commentaire

Plus l'adulte conserve sa spontanéité, son innocence, sa pureté, son dynamisme et sa droiture intacts, plus ses chances d'être sage et vertueux sont grandes. N'est-ce pas toutes ces caractéristiques qui font que les grands aiment tant les enfants et qu'ils les trouvent si attachants ? Les petits qui ne sont pas encore entachés par les stéréotypes et les préjugés sociaux sont les porteurs d'importants messages...

26 juillet

Arrêtez le mal avant qu'il n'existe, calmez le désordre avant qu'il n'éclate.

– Lao-Tseu

Commentaire

Le bon sens commande de régler un problème avant que la situation dégénère et que le tout prenne des proportions démesurées. Dès les premiers indices, on devrait avoir la maturité de s'épancher immédiatement sur la cause du désaccord ou de la mésentente pour en distiller les effets indésirables.

27 juillet

Quand la racine est profonde, pourquoi craindre le vent ? Quand l'arbre est droit, pourquoi s'affliger si la lune lui fait une ombre oblique ?

Commentaire

Quand on est persuadé de ses convictions profondes, que l'on a une confiance inébranlable dans le fondement de ses valeurs et que l'on est convaincu de suivre la bonne route, pourquoi se laisserait-on ébranler par les commentaires du premier venu ? Pourquoi s'inquiéterait-on ou sentirait-on le besoin de se justifier ?

28 juillet

Un homme qui se noie cherche à s'agripper même à une paille de riz.

Commentaire

Qui est dans une situation désespérée n'a rien à perdre en tentant des choses dérisoires. Face à un problème qui nous dépasse, on cherche un soutien même dans des choses insignifiantes et manifestement inefficaces.

29 juillet

On peut guérir les malades, mais non point le destin.

Commentaire

Il est des choses et des événements que l'on peut modifier ou rectifier, mais il en d'autres auxquels on ne peut échapper. « Quand on est dû, on est dû », entendons-nous dire souvent dans le langage populaire.

30 juillet

L'échec est le fondement de la réussite.

– Lao-Tseu

Commentaire

C'est dans l'adversité que s'acquiert la persévérance qui mène à la victoire. Un revers ne doit pas être perçu comme une défaite sans issue, bien au contraire. Un succès s'obtient rarement de façon fortuite, il est presque toujours le résultat de nombreuses heures de travail employées à recommencer ce qui a été mal compris, à construire d'après des connaissances ou des expériences graduellement acquises.

31 juillet

Qui chevauche un tigre n'en descend pas aisément.

Commentaire

Peu importe leurs motifs, les gens qui choisissent de côtoyer des personnes sans scrupules, dont l'ambition n'a d'égale que leur voracité, ne doivent pas s'attendre à diriger leur propre vie comme ils l'entendent et à être les seuls rois et maîtres de leur existence.

1er août

Le sage ne veut pas être estimé comme le jade, ni méprisé comme la pierre.

– Lao-Tseu

Commentaire

La personne qui aspire à l'harmonie avec elle-même et avec son entourage, qui aspire au respect réciproque, ne le fait pas au détriment des autres et ne recherche surtout pas l'admiration, voire l'adulation de ses pairs.

2 août

Prétendre contenter ses désirs par la possession, c'est compter que l'on étouffera le feu avec de la paille.

Commentaire

Celui ou celle qui croit que l'assouvissement de ses envies, que le contentement et l'atteinte du bonheur s'obtiennent par l'acquisition des seuls biens matériels, par la possession de choses, est à mille lieues de la réalité.

3 août

Les parents doivent donner deux choses à leurs enfants : des racines et des ailes.

Commentaire

Lorsqu'on met un enfant au monde, on doit le doter de valeurs fondamentales et de principes pour qu'il devienne un être humain compatissant et respectueux, mais on doit aussi lui laisser la marge de manœuvre nécessaire pour qu'il fasse ses propres expériences et qu'il devienne un être fonctionnel et créatif.

4 août

Pour te défendre, n'attends pas d'être accablé sous les traits de ton adversaire, ni d'avoir les yeux éblouis par ses armes.

– Mencius

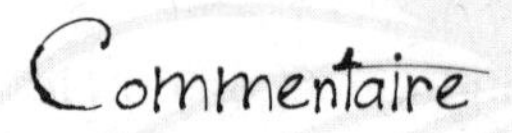

Il faut savoir se tenir debout et ne laisser personne empiéter impunément dans son territoire personnel. Se faire respecter, c'est savoir réagir immédiatement quand on sent qu'il pourrait y avoir infraction par rapport aux règles que l'on s'est définies soi-même. Se faire respecter, c'est savoir réagir avant que la situation ne dégénère et ne prenne une tangente difficilement récupérable.

5 août

L'ignorance est la nuit de l'esprit, et cette nuit n'a ni lune ni étoiles.

Commentaire

L'individu qui reste dans l'ignorance ne peut pas s'imaginer qu'il existe autre réalité que celle qui connaît. La personne inculte, soumise, naïve et méconnaissante ne sait rien d'autre que ce qu'elle voit et que ce qui l'entoure. La personne ignare est l'esclave d'une vie sans espoir. L'ignorance est une prison dont il faut s'évader.

6 août

Nourrir l'ambition dans son cœur, c'est porter un tigre dans ses bras.

Commentaire

Quand la convoitise est source première de motivation, quand la recherche de manœuvres et de manigances pour arriver à ses fins est l'essence même des gestes quotidiens, il faut s'attendre à rencontrer pire que soi et à se faire servir sa propre médecine par quelqu'un d'encore plus vorace que soi.

7 août

Le sage s'interroge lui-même, le sot interroge les autres.

Commentaire

La personne qui considère que les autres sont toujours responsables de ce qui lui arrive, la personne qui remet toujours les autres en question et qui se croit invariablement victime des événements et des agissements d'autrui ne marche malheureusement pas sur le chemin de la sagesse. L'introspection et l'autoévaluation sont les meilleurs outils pour acquérir la maturité.

8 août

Ne parlez jamais de vous, ni en bien, car on ne vous croirait pas, ni en mal, car on ne vous croirait que trop.

– Confucius

Commentaire

Il est sage d'éviter de se mettre soi-même sur la sellette. Il est préférable d'agir en toute concordance, en toute intégrité avec ses valeurs fondamentales et de laisser l'entourage avoir sa propre opinion par rapport à nos accomplissements.

2 août

Le vice empoisonne le plaisir, la passion le corrompt, la tempérance l'aiguise, l'innocence le purifie, la tendresse le double.

Commentaire

Le plaisir est un sentiment fragile. Selon la nature des intentions dont on l'imprègne, il prend des saveurs variées. Ainsi, le plaisir découlant de préméditations négatives (comme l'immoralité, le fanatisme et la luxure) ne ressemble en rien à celui que procurent les intentions sincères et authentiques (comme la modération, la lucidité, la simplicité et la sensibilité).

10 août

La récolte de toute l'année dépend du printemps où se font les semailles.

La qualité des résultats que l'on obtient dépend directement du temps et de l'énergie que l'on investit, de l'attention que l'on porte aux détails et des efforts que l'on déploie au moment de la préparation.

11 août

Celui qui, après avoir commis une faute, ne cherche pas à la corriger, en commet une autre.

– Confucius

Commentaire

On peut reconnaître que l'on a fait une erreur, on peut s'en excuser des centaines de fois, mais si on ne change pas, si on recommence, si on retombe continuellement dans les mêmes comportements fautifs, il ne sert à rien de demander pardon.

12 août

Les marbres et les grands sont froids, durs et polis.

Commentaire

Les personnes qui se démarquent, qui ont du charisme et qui s'attirent l'admiration des autres dégagent la même prestance que les statues de marbre imperturbables dont le regard focalisé, l'expression du visage impénétrable, l'apparence éclatante et le silence inébranlable en imposent à qui s'en approche.

13 août

Celui qui excelle à employer les hommes se met au-dessous d'eux.

– Lao-Tseu

Commentaire

Un bon leader reconnaît qu'il ne possède pas tous les talents. Un bon dirigeant sait reconnaître, utiliser et coordonner les compétences et les forces de chacune des personnes qui composent son équipe. Un bon meneur est conscient de ses incapacités et respecte ses collègues parce que ces derniers lui permettent d'atteindre ses objectifs.

14 août

Le hasard vaut mieux qu'un rendez-vous.

Commentaire

Ce qui se produit sans qu'on ne l'ait cherché, sans qu'on ne l'ait programmé, porte souvent plus de fruits que ce que l'on arrache à force d'insistance et d'obstination. À nous de faire confiance à la providence...

15 août

Le paysan prie pour qu'il pleuve, le voyageur pour qu'il fasse beau, et les dieux hésitent.

Commentaire

Toutes nos prières ne peuvent pas toujours être exaucées. Parfois la grâce d'une demande réside justement dans le fait de ne pas être accordée. Chacun doit apprendre à faire la part des choses et à considérer l'ensemble de ses besoins.

16 août

L’homme ne vit qu’une vie, la sauterelle ne vit qu’un automne.

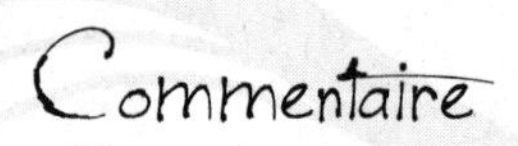

On aurait pu rajouter aussi qu’un éphémère ne vit que quelques heures... Enfin, peu importe le temps qui nous est alloué, il faut tirer le maximum de ce qui est mis à notre disposition pour en profiter pleinement.

17 août

L'homme d'une vertu supérieure est une vallée.

– Lao-Tseu

Commentaire

Synonyme de quiétude et de paix, la vallée est un lieu privilégié qui attire les cœurs en quête d'une vie tranquille. Telle une vallée, l'individu mature et sage séduit ceux qui le côtoient. Le rayonnement de la sagesse donne l'envie de s'en rapprocher et de s'y établir.

18 août

On connaît une bonne source dans la sécheresse et un bon ami dans l'adversité.

Commentaire

Ce n'est que dans une situation problématique ou dans un moment de déconvenue que nous pouvons évaluer réellement la solidité de nos valeurs fondamentales et la qualité des liens qui nous unissent à nos proches.

12 août

On devrait gouverner un grand empire avec autant de simplicité que l'on fait cuire un petit poisson.

Commentaire

Peu importe la grandeur du territoire et le nombre d'habitants qu'il contient, son dirigeant devrait agir avec la même attention et le même sens des responsabilités que la personne qui exécute les tâches les plus simples de la vie courante.

20 août

Si le roi aime la musique avec prédilection, le royaume approche beaucoup d'un meilleur gouvernement.

– Mencius

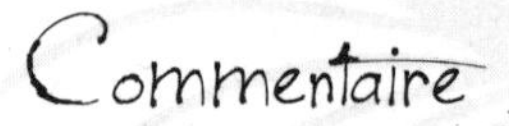

Ne dit-on pas, chez nous, que la musique adoucit les mœurs ? Un dirigeant d'entreprise, une présidente de compagnie, un premier ministre ou un chef de famille qui apprécie le langage musical est sensible à la nature créatrice de l'être humain. Son ouverture d'esprit et sa sensibilité transpirent dans sa manière de diriger et rejaillissent positivement sur tous ceux qui l'entourent.

21 août

On gagne toujours à taire ce que l'on n'est pas obligé de dire.

Commentaire

Toutes les fois où vous avez éprouvé des regrets après avoir dit quelque chose, c'est que vous n'aviez pas à ouvrir la bouche ! En ces occasions, le silence est assurément votre plus grand allié. Avant d'énoncer quoi que ce soit, demandez-vous intérieurement si ce que vous vous apprêtez à dire est vraiment nécessaire...

22 août

Celui qui s'abstient de ce dont il ne doit pas s'abstenir, il n'y aura rien dont il ne s'abstienne.

– Mencius

Commentaire

Une personne qui est capable de se priver de quelque chose dont elle n'est même pas obligée de se passer possède une telle volonté que rien ni personne ne peut arriver à la faire fléchir ou à la faire déroger.

23 août

Qui a soif rêve qu'il boit.

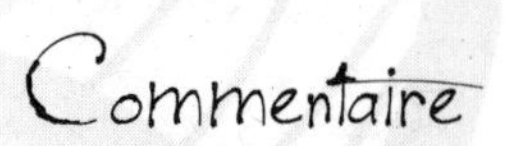

Certaines personnes attendent d'être dans le pétrin avant de réagir. Il vaut mieux pallier toutes les éventualités au fur et à mesure qu'elles se présentent plutôt que de laisser les choses se dégrader et de se faire prendre dans la tourmente.

24 août

Nous sommes frères par la nature, mais étrangers par l'éducation.

– Confucius

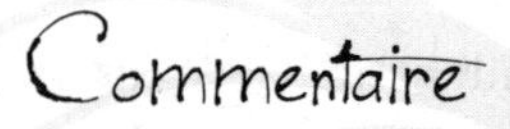

Même si tous les habitants de la planète ont ceci de commun qu'ils sont des êtres humains constitués d'une enveloppe corporelle, d'une âme et d'un esprit, il n'en reste pas moins qu'ils éprouvent d'énormes difficultés à se comprendre à cause de leur bagage culturel si différent. Semblables dans la forme, mais étrangers dans l'essence.

25 août

Quand l'oiseau est près de mourir, son chant devient triste; quand l'homme est près de mourir, ses paroles portent l'empreinte de la vertu.

– Confucius

Commentaire

Comme l'approche de la mort vient teinter le chant de l'oiseau, elle colore aussi les dires de l'homme vieillissant. Assagi et conscient de son départ éminent, l'homme exprime enfin des sentiments qu'il n'a jamais osé exposer. Le repentir, le pardon, la déclaration d'amour ne sont souvent soufflés qu'à la conclusion de sa vie.

26 août

On ne s'égare jamais si loin que lorsqu'on croit connaître la route.

Commentaire

C'est quand on est trop sûr de son affaire qu'on risque de se relâcher et de laisser passer des petits détails qui au bout du compte se révèlent très importants. Malgré la confiance, il ne faut pas s'asseoir sur ses lauriers.

27 août

On voit des avares devenir prodigues, mais on ne voit pas des prodigues devenir avares.

Commentaire

Il est possible qu'un être radin finisse par ouvrir son cœur et délier les cordons de sa bourse, mais il est plutôt improbable qu'une âme fondamentalement généreuse qui connaît les plaisirs et les satisfactions du partage se renfrogne et devienne avaricieuse.

28 août

On peut forcer le peuple à suivre les principes de la justice et de la raison ; on ne peut pas le forcer à les comprendre.

– Confucius

Commentaire

Les membres d'une société font des tas de choses par habitude ou par obligation, sans s'interroger sur le sens profond de ces actions. Le danger qui plane quand on fait des choses prédéfinies sur une base continue, c'est que l'on perd le contact avec son intérieur et avec les motivations réelles qui poussent à agir ou à se comporter de la sorte. Les lois, les règles, les dogmes déterminent quantité de comportements, mais en saisissons-nous vraiment la portée ?

29 août

Quand il y a sept timoniers sur huit marins, le navire sombre.

Commentaire

Pour réussir une entreprise et arriver à bon port, il faut départager les responsabilités adéquatement et pourvoir chaque poste de la meilleure personne possible pour l'accomplissement de ces fonctions. Il ne sert à rien d'avoir sept chefs quand on en a besoin que d'un.

30 août

Ceux qui savent ne parlent pas, ceux qui parlent ne savent pas.

– Lao-Tseu

Ceux qui nous séduisent avec leurs beaux discours, ceux qui nous étourdissent avec leurs interminables verbiages sont les plus à redouter, car derrière ce flot de paroles se dissimule très souvent un manque flagrant de connaissances.

31 août

On peut difficilement se faire un ami en un an, on peut aisément le perdre en une heure.

Commentaire

L'amitié est un sentiment qui nous rend très solides, mais qui, en soi, est très fragile. En effet, l'amitié véritable se développe lentement et la confiance réciproque qu'elle sous-tend se gagne doucement. Pourtant, il suffit d'une bêtise irréfléchie pour que tout s'effondre.

1er septembre

Le sage demande à lui-même la cause de ses fautes, l'insensé la demande aux autres.

– Confucius

Commentaire

La responsabilisation de ses actes est l'une des conditions essentielles pour marcher sur la voie de la sagesse. Être capable de s'autocritiquer, de faire la part des choses, c'est faire preuve de maturité et de gros bon sens.

2 septembre

Quand l'escargot bave, ne lui demandez pas la raison.

Commentaire

Lorsqu'une personne traverse une période chaotique et qu'elle consacre toute son énergie à se débattre contre quelqu'un ou contre quelque chose, elle n'a pas le recul nécessaire lui permettant de comprendre ou d'expliquer la cause de son embourbement. Il faut attendre que la tempête s'apaise avant d'y voir clair.

3 septembre

Quand la crainte ne veille pas, il arrive ce qui était à craindre.

– Lao-Tseu

Commentaire

Malgré toute l'assurance et l'optimisme que l'on peut ressentir, il est toujours mieux de garder l'œil ouvert sur le déroulement des événements et d'assurer ses arrières afin d'éviter de se faire prendre dans le détour.

4 septembre

Plus le piédestal est beau, plus la statue doit l'être.

Commentaire

Plus on a d'estime envers quelqu'un et plus les attentes envers cette personne sont grandes. Plus on se fixe des objectifs élevés, plus on se doit d'être exigeant envers soi pour être à la hauteur.

5 septembre

Quand le cœur n'y est pas, les mains ne sont pas habiles

Commentaire

L'homme est un piètre exécutant et un piètre créateur quand la motivation et le plaisir lui font défaut.

6 septembre

Ce qui est au-dessus du bon est souvent pire que le mauvais.

– Lao-Tseu

Commentaire

Quand on veut trop bien faire, on provoque souvent l'effet contraire, et ce, même si les intentions sont bonnes. L'exagération et les extravagances entravent parfois plus qu'elles n'aident.

7 septembre

Qui a beaucoup d'argent et pas d'enfants, il n'est pas riche ; qui a beaucoup d'enfants et pas d'argent, il n'est pas pauvre.

Commentaire

Pour plusieurs, la vraie richesse se trouve dans les valeurs humaines et dans la transmission de celles-ci par le fil des générations. Les enfants assurent la continuité de l'humanité, la perpétuité de l'histoire, c'est pourquoi ils représentent la prospérité.

8 septembre

Celui qui creuse un puits jusqu'à 72 pieds et ne va pas jusqu'à la source, il est comme s'il n'avait pas travaillé.

– Mencius

Commentaire

Toujours terminer, se rendre au bout de ce que l'on a commencé. La satisfaction du devoir accompli ne se ressent que lorsque la finalité visée est atteinte.

9 septembre

Qui a fermé sa porte est au fond du désert.

Commentaire

La personne renfermée qui ne veut pas ouvrir son cœur à qui que ce soit, qui se méfie et doute d'autrui, qui garde toutes ses pensées en son for intérieur et qui cadenasse ses sentiments, cette personne qui choisit l'isolement et la solitude érige elle-même le mur d'indifférence la séparant de ses semblables.

10 septembre

La sagesse parfaite est-elle si éloignée après tout? Quand je désire la trouver, elle est à portée de ma main.

– Confucius

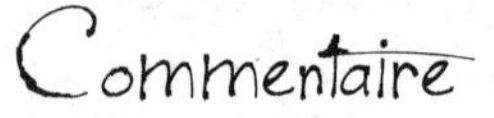

C'est par de petits gestes parmi les événements du quotidien que se trouve le chemin de la sagesse. Il n'est pas nécessaire de devenir missionnaire ou de se consacrer entièrement à une cause pour être vertueux. Chaque jour nous offre la possibilité d'user de notre bon sens et d'acquérir un peu plus de clairvoyance.

11 septembre

Celui qui excelle à commander une armée n'a pas une ardeur belliqueuse.

– Lao-Tseu

Commentaire

Les dirigeants les plus compétents ne sont pas ceux qui entretiennent des sentiments agressifs et dominateurs. Les meilleurs chefs sont ceux qui rallient leurs coéquipiers dans le respect et l'esprit de collaboration.

12 septembre

Si tu aimes ton fils, donne-lui le fouet ; si tu ne l'aimes pas, donne-lui des sucreries.

Commentaire

Il est du devoir des parents de réprimander, de faire prendre conscience à leurs enfants que tout ne se passera pas toujours comme ils le souhaitent dans la vie. Il est du devoir des parents d'inculquer à leurs enfants le sens des responsabilités et l'acceptation de leurs choix. Ce n'est pas rendre service à son enfant que de lui donner tout ce qu'il désire et d'acquiescer à ses moindres demandes.

13 septembre

Le bien subjugue le mal comme l'eau dompte le feu, et si une coupe d'eau ne suffit pas à éteindre un incendie, il ne faut pas en conclure que l'eau est impuissante contre le feu.

– Mencius

Commentaire

Aussi valable soit-il, un acte isolé peut difficilement déstabiliser un système ancré dans ses vieux rouages dépassés. C'est en persévérant et en additionnant les actions fondées sur les bonnes intentions que le courant positif finit par se propager et à prendre le dessus.

14 septembre

Tous les faux biens produisent de vrais maux.

Commentaire

Nous sommes bien placés pour le savoir, car nous ne cessons d'être sollicités à gauche et à droite pour nous procurer le dernier gadget « indispensable ». Combien de gens connaissent des situations financières précaires pour combler ces supposés besoins créés de toutes pièces par la société de consommation ? Combien de gens laissent leur santé et perdent leur vie de couple à force de travailler pour payer ces « biens » matériels ?

15 septembre

Les paroles dont la simplicité est à la portée de tout le monde et dont le sens est profond sont les meilleures.

– Lao-Tseu

Commentaire

Le verbiage pompeux et les longs discours savants ne font que trop rarement tinter les clochettes de la compréhension. Quand on veut être sûr de faire passer un message, il est beaucoup plus opportun d'employer un langage clair et concis — ce qui ne signifie pas de faire dans la niaiserie, le nivellement par le bas dénotant un manque de respect flagrant pour ses pairs.

16 septembre

Vivre, c'est un hasard du temps ; mourir, c'est se conformer à la loi de la nature. Je jouis de ce hasard et j'obéis à cette loi ; aucune joie ni tristesse ne peuvent pénétrer dans mon cœur.

– Chouang-Tseu

Commentaire

Une fois que nous nous incarnons, que nous arrivons dans ce monde, nous n'avons d'autre choix que de suivre la nature des choses : nous avons une vie à vivre au bout de laquelle la mort nous cueillera. Et cela, personne ne peut y échapper, en cela, tous les humains sont égaux.

17 septembre

Un arc tendu longtemps perd sa force.

Commentaire

Chaque jour qui se lève ne doit pas exiger que l'on déploie l'ultime effort. À force de toujours se retrouver à la limite de ses capacités, on finit par se fatiguer et par user sa résistance. La vie est un travail de longue haleine pour lequel on se doit de répartir équitablement son énergie.

18 septembre

Si une fois l'homme a honte de ne pas avoir eu honte de ses fautes, il n'aura plus de motifs de honte.

– Mencius

Il suffit que l'être humain se rende compte et admette une seule fois qu'il a eu tort ou qu'il s'est trompé pour qu'il ressente l'ouverture de sa conscience et qu'il s'aperçoive que les regrets ne sont ni déshonorants ni abaissants. Ainsi, à la lumière de cette expérience, il ne craint plus de se gourer, car il a compris que la perfection n'est pas de ce monde.

19 septembre

Servir un prince, c'est comme dormir avec un tigre.

Commentaire

Il est téméraire de se soumettre, de toujours être d'accord et d'exécuter les quatre volontés d'une personne qui est sûre de détenir la vérité et qui se croit au-dessus de tout. Sans pitié et sans aucune considération — parce que tout lui est dû —, cette personne peut se retourner contre soi.

20 septembre

Rendez le bien pour le bien et la justice pour le mal.

– Confucius

Commentaire

Traitez les autres comme vous aimeriez que l'on vous traite ; quand on vous fait du bien, retournez la pareille et, quand on vous fait du mal, ne vous laissez pas aveugler par la vengeance et soyez juste.

21 septembre

Un cheval ne devient pas gras sans manger la nuit; un homme ne devient pas riche sans gains équivoques.

Commentaire

Attention à l'appât du gain ! La valorisation par l'argent, le pouvoir alloué à l'argent sont tels que sa convoitise fait trop souvent emprunter des moyens peu orthodoxes qui corrompent l'esprit. Les gens les plus fortunés ne sont pas les plus vertueux.

22 septembre

Se regarder scrupuleusement soi-même, ne regarder que discrètement les autres.

– Confucius

Commentaire

Qui sommes-nous pour juger les autres ? Quand on prend la peine de s'examiner honnêtement, de faire son introspection sincèrement, le regard que l'on porte sur les autres devient moins inquisiteur. De toute façon, quand on critique son prochain, c'est soi-même que l'on juge puisque l'autre est notre miroir. Un être humain est toujours le reflet d'un autre être humain.

23 septembre

Les princes qui ont remporté le plus de victoires sont ceux contre qui personne n'a jamais osé faire la guerre.

Commentaire

Les gens qui nous impressionnent, ceux qui nous semblent invincibles ne le sont peut-être pas autant qu'on le pense. Il suffit de s'approcher d'eux et de les défier pour se rendre compte de leurs faiblesses.

24 septembre

Gouverne-toi bien pour gouverner le monde.

Commentaire

Se respecter soi-même et vivre en toute cohérence avec ses valeurs et ses croyances tout en acceptant des lignes de conduite de ses semblables incite naturellement les autres à nous respecter. La confiance et l'admiration des autres se gagnent par l'exemple que l'on projette.

25 septembre

La boue cache un rubis, mais elle ne le salit pas.

Commentaire

Sous des apparences débraillées, derrière un habillement négligé ou provocant, sous le couvert d'un comportement rustre, peut se trouver une personne aux qualités rares. Les indices extérieurs ne révèlent pas toujours la nature réelle de ce qu'elles renferment.

26 septembre

Le palais conduit à la gloire, le marché à la fortune et la solitude à la sagesse.

Commentaire

L'accession au bonheur véritable et à l'harmonie, les réponses aux questions qui préoccupent l'âme et qui apportent le réconfort se trouvent dans les moments que l'on passe seul avec soi-même. La réflexion est le guide de la conscience. La sagesse niche dans la conscience.

27 septembre

Oublie les injures, n'oublie pas les bienfaits.

– Confucius

Commentaire

Quand la frustration, l'agressivité et la vengeance sont le moteur du quotidien, la vie n'est qu'une suite d'événements incohérents qui alimentent le feu de la colère. En canalisant sa pensée sur les bons côtés de sa réalité, quelle qu'elle soit, on fabrique de l'énergie positive et on dirige le flot des événements dans ce sens.

28 septembre

Préservez-vous des désirs insatiables qui s'augmentent comme les eaux d'un torrent.

– Sie-Hoei

Commentaire

Les ambitions démesurées et l'envie sont des ennemies beaucoup plus grandes qu'on ne le croit. Leur pouvoir est si sournois qu'il peut nous départir de notre lucidité et nous entraîner sur des terrains dangereux, à l'opposé d'où se trouvent nos véritables intérêts.

29 septembre

Le passé a plus de parfum qu'un bosquet de lilas en fleurs.

Commentaire

Aussi persistant puisse être le parfum des fleurs les plus odorantes, rien n'est jamais plus présent et plus évocateur à nos sens que les traces du passé imprimées dans chacune des cellules de notre corps et de notre esprit.

30 septembre

Le pauvre devine ce que donne la richesse, le riche ne sait pas ce qu'est la pauvreté.

Commentaire

Les gens qui vivent dans des conditions modestes savent ce qui leur en coûte en énergie, en temps, en concessions et en choix pour subvenir en partie ou en totalité à leurs besoins. Ils connaissent la valeur de l'argent si durement gagné et savent l'apprécier; c'est pourquoi ils peuvent s'imaginer la différence que la richesse pourrait avoir dans la nature de leurs occupations quotidiennes. En revanche, les gens qui n'ont jamais eu à se priver et qui ont toujours eu les ressources financières pour réaliser le moindre de leur souhait ne peuvent soupçonner tout ce qu'impliquent les aléas de la pauvreté.

1er octobre

Une petite impatience ruine un grand projet.

– Confucius

Commentaire

Il s'en faut de peu parfois pour qu'une situation ne prenne une tournure non souhaitable. Un geste irréfléchi fait dans un moment d'irritation ou d'énervement suffit à désynchroniser le déroulement des étapes prévues, à semer la pagaille entre deux ou plusieurs individus et à faire chavirer le navire.

2 octobre

Le peuple est difficile à gouverner quand il est trop savant.

Commentaire

Les assoiffés de contrôle et de puissance l'ont compris depuis fort longtemps : la connaissance est la pierre angulaire du pouvoir. Plus une masse est tenue dans l'ignorance, plus elle est facilement manipulable et influençable. À chacun de s'instruire, de s'informer, de se tenir à l'affût et de s'intéresser afin de ne pas devenir une marionnette qui se laisse dicter ses décisions par les autres.

3 octobre

L'homme ne vit pas cent ans et se fait du souci pour mille.

Commentaire

L'être humain est ainsi fait qu'il passe le plus clair de son temps à se faire du mauvais sang, à dramatiser, à s'apitoyer et à s'inquiéter de tout et de rien au lieu de profiter du moment présent, d'apprécier et de jouir de tout ce que lui offre la vie.

4 octobre

Quand on ne sait pas ce qu'est la vie, comment pourrait-on savoir ce qu'est la mort ?

– Confucius

Commentaire

Si on passe son existence sans s'interroger sur ce qu'est le sens de la vie, si on ne donne pas de but à sa vie, si on n'arrive pas à comprendre sa propre vie, comment peut-on vieillir sans être apeuré par la finitude de la vie, comment peut-on saisir et accepter le sens de la mort terrestre ?

Le courage du cœur inébranlable est au-dessus de la bravoure qui naît de l'impétuosité du sang.

– Mencius

Commentaire

Les actes motivés par la sincérité, par le désir d'intégrité à ses convictions profondes, par fidélité envers soi-même, qui ne sont pas spectaculaires, valent davantage que les gestes, selon toute apparence, héroïques faits dans le but de nourrir l'orgueil ou d'assouvir un désir d'ambition indue.

6 octobre

Les vérités que l'on aime le moins à apprendre sont celles que l'on a le plus d'intérêt à savoir.

Commentaire

Les règles qui nous paraissent les plus difficiles à accepter, les principes qui nous semblent les plus pénibles à appliquer, les tâches qui nous semblent exiger des efforts surhumains constituent, la plupart du temps, les prémisses les plus pertinentes à notre épanouissement.

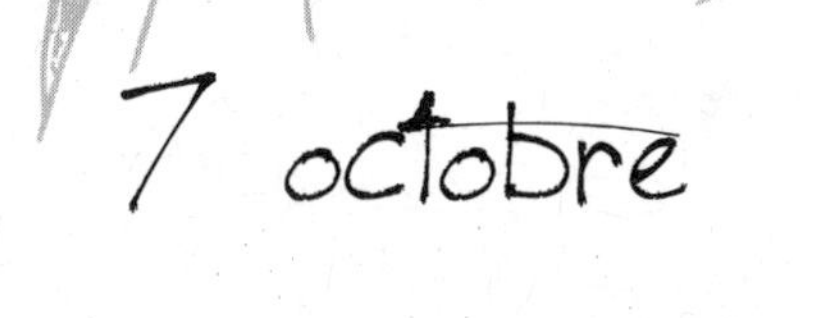

7 octobre

Lorsque trois hommes ont le même but, l'argile se change en or.

Commentaire

L'union fait la force. Quand les gens unissent leurs efforts dans un élan de collaboration et d'entraide pour atteindre un objectif commun, tout est possible. La solidarité rend l'impensable réalisable.

8 octobre

Le sage venge ses injures par des bienfaits.
– Lao-Tseu

Commentaire

L'individu en paix et en harmonie avec lui-même ne trouve pas de satisfaction dans la vengeance et les représailles. L'âme mature préfère agir avec bienveillance pour sauvegarder le calme de son for intérieur, plutôt que de nourrir des ardeurs haineuses et destructrices.

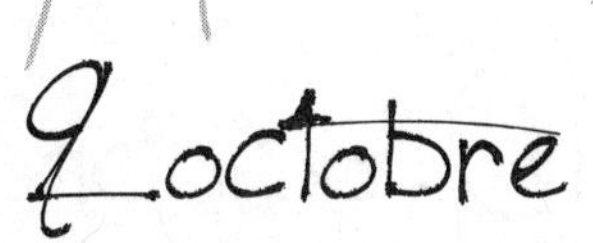

Par la canicule, il n'y a pas de grands hommes.

Commentaire

Ce n'est pas par la sueur des efforts exagérés, immodérés et démesurés qu'un individu prouve sa valeur réelle. Il est plus raisonnable et judicieux de miser sur l'efficacité de la constance pour montrer son véritable potentiel et pour se faire reconnaître justement.

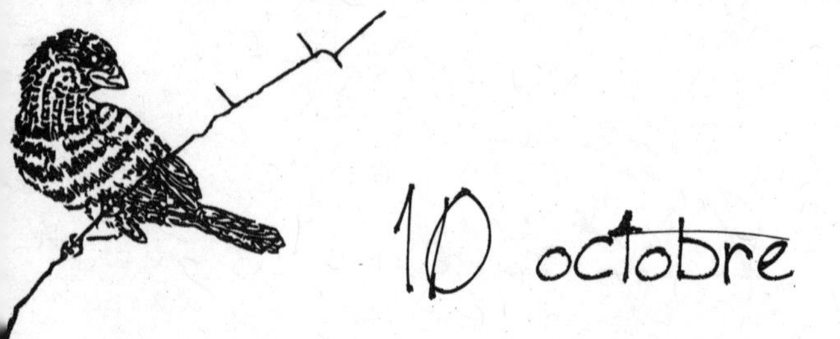

10 octobre

Le bois pourri ne peut être sculpté.

– Confucius

Commentaire

Il est impossible d'échanger, d'établir des liens constructifs et de bâtir une relation sur des bases solides avec quelqu'un qui a le cœur gangrené par la rancune, l'âme corrompue par le ressentiment et l'esprit habité par la haine.

11 octobre

La conscience est la lumière de l'intelligence pour distinguer le bien du mal.

– Confucius

Commentaire

Posséder la capacité de discernement, avoir un bon jugement, agir en se référant au gros bon sens et se préoccuper de la juste répartie sont des indices indéniables de comportements guidés par la conscience et dictés par l'intelligence.

12 octobre

Qui cède le haut du pavé s'élargit le chemin.

Commentaire

L'humilité est une vertu qui ouvre toutes les portes. Ainsi, la personne qui ne court pas après les honneurs et qui agit dans le plus grand désintéressement jalonne son parcours de vie d'expériences fructueuses et nourrissantes.

13 octobre

On n'est jamais puni pour avoir fait mourir de rire.

Commentaire

Il ne faut pas craindre de produire des événements heureux et de répandre la joie autour de soi, car le trop-plein de bonheur est quelque chose qui n'arrive que trop rarement dans une vie. Il est difficile de s'imaginer que l'on puisse se fatiguer de se sentir comblé et satisfait.

14 octobre

Plus le sage donne aux autres, plus il possède.

– Lao-Tseu

Commentaire

C'est en partageant ses connaissances, c'est en faisant don de sa personne, c'est en offrant sincèrement ce qui peut servir à son prochain que l'on s'enrichit pas seulement intérieurement, mais matériellement aussi. Ne dit-on pas chez nous « un service en attire un autre » et « donner, c'est recevoir » ?

15 octobre

Le bonheur et le malheur ne viennent que de nous-mêmes.

– Mencius

Commentaire

Chaque individu est responsable de ce qui lui arrive dans la joie comme dans l'adversité. Qu'elle soit irréfléchie ou consciente, la portée de nos gestes se reflète tôt ou tard, positivement ou négativement, dans les événements qui découlent de nos décisions et de nos choix.

16 octobre

On ne peut marcher en regardant les étoiles quand on a une pierre dans son soulier.

Commentaire

Il est difficile de poursuivre son chemin en ayant le cœur léger, l'esprit libre et les idées claires si on traîne quelque souci ou quelque problème qui n'est pas réglé. Quand on a la conscience tranquille, on est ouvert et disponible.

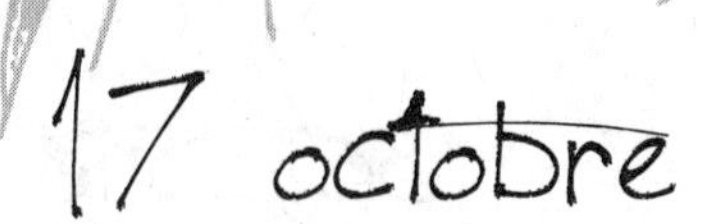

Un homme n'est pas bon à tout, mais il n'est jamais propre à rien.

– Se Ma-fa

Commentaire

L'être humain ne peut exiger la perfection de lui-même tout comme il ne peut prétendre être un incapable absolu, parce que chaque individu a ses qualités, ses défauts, ses limites et ses particularités, parce que chaque individu complète son prochain.

18 octobre

Qui médit de moi en secret, me craint; qui me loue en face, me méprise.

Commentaire

Il faut se méfier de la flatterie et des compliments gratuits, car ils ne sont, la plupart du temps, qu'un moyen de dissimuler les véritables sentiments.

19 octobre

L'amour de la vie n'est-il pas une illusion ? La crainte de la mort n'est-elle pas une erreur ? Le départ est-il réellement un malheur ? Ne conduit-il pas, comme celui de la fiancée qui quitte la maison paternelle, à un autre bonheur ?

– Tchouang-Tseu

Commentaire

Toutes les questions que l'on se pose sur les grands fondements de l'existence (pourquoi vit-on ? quel est le véritable sens de la vie ? qu'est-ce que la mort ? pourquoi la mort ? etc.), toutes les passions et toutes les inquiétudes que l'on ressent au cours de notre vie devraient nous faire comprendre que nous effectuons un passage, que nous sommes en transit vers quelque chose d'encore plus grand.

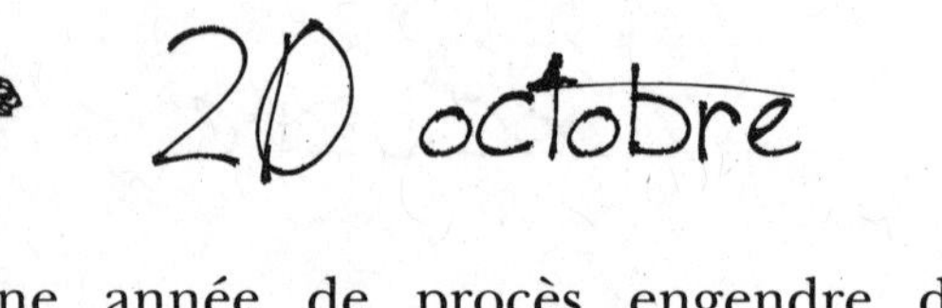

20 octobre

Une année de procès engendre dix années de rancune.

Commentaire

Tout le temps que l'on passe à ruminer sa rancœur, à entretenir son désir de vengeance et à faire vibrer la haine dans son âme décuple les effets destructeurs dans sa propre vie et dans celle de l'entourage.

21 octobre

Je voudrais que tous les vieillards puissent vivre en paix, que tous les amis soient fidèles et que les jeunes aiment leurs aînés.

– Confucius

Commentaire

Respectons-nous les uns les autres et considérons nos prochains, plus spécialement nos aînés, comme des êtres qui méritent notre attention et notre déférence. Une société qui reconnaît la contribution de ceux et celles à qui elle doit la postérité est une société qui se construit sur des bases harmonieuses.

22 octobre

Un jour en vaut trois pour qui fait chaque chose en son temps.

Commentaire

Quand on profite pleinement du temps que chaque jour met à notre disposition sans remettre à plus tard ce qui peut être fait dès maintenant, on abat plus de tâches qu'on ne saurait le faire trois jours durant.

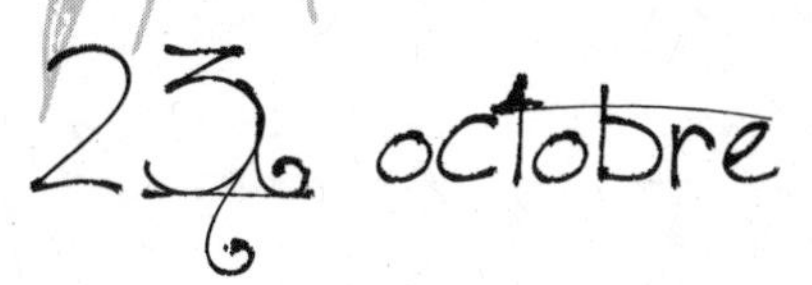

Une seule fente suffit pour couler un bateau.

Commentaire

Le détail qui nous semble le plus anodin se révèle souvent comme étant tout aussi important que celui qui nous paraît prioritaire ou indispensable. La négligence dont nous faisons preuve envers les plus petites choses peut effectivement nous faire courir à notre perte. Il ne faut jamais sous-estimer les vétilles.

24 octobre

L'homme supérieur est influencé par la justice ; l'homme vulgaire est influencé par l'amour du gain.

– Confucius

Commentaire

La recherche du contentement personnel dans le respect de ses semblables et dans la conscience des besoins de l'autre élève l'être humain à un niveau de satisfaction et de bien-être que l'ambitieux invétéré et égocentrique ne peut soupçonner.

Le sage redoute la célébrité comme l'ignominie.

– Lao-Tseu

Commentaire

L'attrait du vedettariat est redoutable. Le pouvoir de séduction que la gloire exerce peut pousser quelqu'un à commettre les pires bassesses pour jouir de cette renommée. La personne en paix avec elle-même ne cherche pas l'admiration de ses pairs à tout prix, c'est pourquoi elle ne se laisse pas impressionner par l'éclat et le glamour apparent de la popularité.

26 octobre

Si vous devez parcourir dix lis, songez que le neuvième marquera la moitié du chemin.

Commentaire

La dernière étape d'un ouvrage ou d'un projet demande souvent plus d'effort que toutes les précédentes rassemblées. La persévérance et la constance sont des outils dont il est essentiel de se munir pour mener à terme quoi que l'on entreprenne.

27 octobre

Une bouchée de fruit d'immortalité vaut mieux qu'une indigestion d'abricots.

Commentaire

Ce n'est pas tant la quantité qui importe, mais plutôt la qualité. Qu'il s'agisse de sentiments, d'énergie, de biens matériels, l'efficacité passe nécessairement par la nature des intentions et la valeur de l'implication plutôt que par le nombre de gestes ou de preuves matérielles.

28 octobre

En se courbant d'un pied, on se redresse de huit.

– Mencius

Commentaire

L'humilité fait de l'être humain une personne encore plus respectable. C'est en faisant de la place à autrui, c'est en reconnaissant sa crédibilité que l'on s'attire la considération des autres et que l'on gravit les échelons de leur estime.

29 octobre

Tout bois est gris quand il est réduit en cendres.

Commentaire

Peu importe la classe sociale à laquelle on appartient ou l'importance du compte en banque, s'il est une chose dont les hommes peuvent être sûrs, c'est qu'ils finiront tous leurs jours en redevenant poussière. En cela, tous les hommes sont égaux.

30 octobre

Celui qui sait être constant a une âme large et celui qui a une âme large est juste.

– Lao-Tseu

Commentaire

Quand on est capable de ne pas se laisser embobiner par les travers des autres, quand on réussit à rester fidèle à soi-même et à ne pas concéder au détriment de ses convictions profondes, c'est que l'on porte en soi la conscience de celui qui sait faire la part des choses.

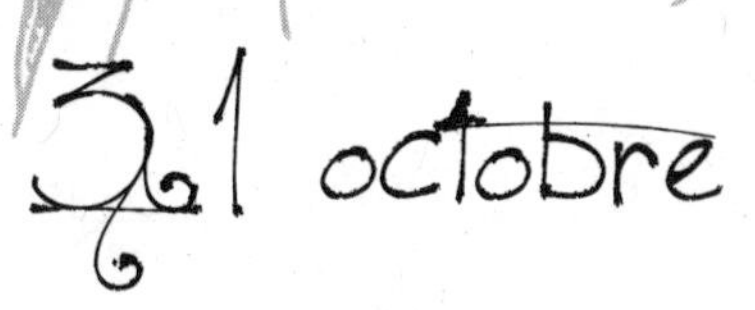

Quand la lune est pleine, elle commence à décroître ; quand les eaux sont hautes, elles débordent.

Commentaire

Il faut savoir mettre ses priorités aux bonnes places, car il est des choses, des situations qui se résorbent d'elles-mêmes et qui n'ont pas besoin que l'on s'en occupe outre mesure. En contrepartie, il y certains événements que l'on a avantage à suivre de près et pour lesquels il vaut mieux intervenir avant qu'ils deviennent incontrôlables.

1er novembre

Le grave est la racine du léger, le calme est le maître du mouvement.

– Lao-Tseu

Commentaire

La tranquillité de l'âme et le détachement qui sont si essentiels à la paix intérieure se manifestent à mesure que l'on apprend à se défaire du fardeau de ses peines et du tourbillon des préoccupations qui harcèlent l'esprit.

2 novembre

On peut abandonner son père, fût-il magistrat, mais non sa mère, fût-elle mendiante.

Commentaire

On se doit d'honorer et d'avoir toute notre vie durant le plus grand respect et la plus grande reconnaissance pour celle qui nous a mise au monde, ne serait-ce que pour cette seule et unique raison. Il faut toujours avoir en tête que, sans elle, notre être n'existerait tout simplement pas.

3 novembre

L'égoïste devrait-il arracher un cheveu de sa tête pour procurer quelque avantage à l'empire, il ne l'arracherait pas.

– Mencius

Commentaire

Celui qui ne daigne pas lever le petit doigt à moins d'en retirer quelque chose, celui qui est totalement insensible à la cause de son prochain à moins qu'elle ne lui serve, celui qui ne se voit pas comme faisant partie d'un tout à l'intérieur duquel tout un chacun est interdépendant, celui qui ne répond qu'aux élans de son amour-propre, celui-là est un être égoïste.

4 novembre

Qui frappe les buissons en fait sortir les serpents.

Commentaire

Quand on veut venir à bout d'une situation équivoque et nébuleuse, mieux vaut la prendre de front et être bien résolu de ne pas reculer devant l'adversité, de ne pas se défiler devant les difficultés qui se présentent.

5 novembre

Un mot perd l'affaire, un homme détermine le sort d'un empire.

– Confucius

Commentaire

Il suffit d'une pomme pourrie pour gâter toutes les autres ! La négligence et le laisser-aller sont les précurseurs de la propagation du mal et de la dégénération d'un contexte. Soyez aux aguets !

6 novembre

L'étude est une épouse aussi belle que le jade.

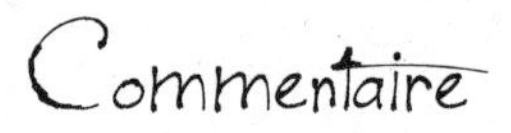

On ne craint pas de traverser la vie, on ne craint pas la solitude lorsque sa curiosité est toujours en éveil, lorsque son désir d'approvisionner son esprit de connaissances se manifeste constamment et lorsque son plaisir d'apprendre est réel.

7 novembre

Je ne m'attends pas à trouver un saint aujourd'hui. Si je pouvais seulement trouver un sage, je m'en contenterais.

– Confucius

Commentaire

Comme la perfection est une condition que la nature humaine ne peut remplir, on ne doit surtout pas espérer y parvenir définitivement et pleinement. Toutefois, il est souhaitable d'y aspirer afin d'orienter son parcours de vie dans la voie qui s'en rapproche le plus.

8 novembre

Les profits injustes sont comme la fausse monnaie ; plus on en a, plus on risque.

Commentaire

L'avancement que l'on obtient par des tours de passe-passe, tout comme l'enrichissement que l'on conquiert par le truchement d'intentions douteuses ou déloyales, ne repose pas sur des bases nous permettant de dormir sur nos deux oreilles. Quand la méfiance et la suspicion constituent le pain quotidien, le bien-être n'est qu'apparence.

9 novembre

L'invariabilité dans le milieu est ce qui constitue la vertu.

– Confucius

Commentaire

C'est dans notre capacité à maintenir l'équilibre entre les divers pôles d'attraction de l'existence (bien-mal, passion-raison, etc.) que l'on fait preuve de maturité et de sagesse.

10 novembre

Une grosse fortune ne vaut pas un petit revenu à tous les jours.

Commentaire

Le confort de la richesse et la complaisance dans le luxe tendent à engourdir la conscience et à faire dévier l'homme de sa véritable trajectoire, alors que celui ou celle qui doit garantir sa subsistance par l'accomplissement de démarches et de besognes incessantes est en contact étroit avec la valeur des efforts quotidiens.

11 novembre

Qui s'endort médisant se réveille calomnié.

Commentaire

Le cœur embrouillé par la colère et l'irritation ne trouve pas le repos dans le sommeil. Quand on dépose sa tête sur l'oreiller sans avoir réglé ses différends, sans avoir apaisé son ébullition intérieure, on peut être assuré de se réveiller dans le même état de mécontentement que la veille.

12 novembre

Voir la figure est plus sûr que d'entendre la renommée.

Commentaire

Un individu a beau avoir la meilleure réputation du monde, mais rien ne vaut un contact ou une rencontre en personne avec lui pour se faire sa propre idée et savoir exactement à qui l'on a affaire.

13 novembre

Les plus jolis oiseaux sont en cage.

Commentaire

La beauté physique est un cadeau qui parfois n'en est pas un. Il est bien évident que la joliesse d'une personne attire le regard et provoque l'exaltation, mais elle peut aussi transformer cette personne en objet de convoitise qu'on s'approprie dans le but de se valoriser soi-même.

14 novembre

La porte la mieux fermée est celle que l'on peut laisser ouverte.

Commentaire

À partir du moment où l'on se connaît véritablement, où l'on s'assume vraiment et où l'on a confiance en ce que l'on est, il n'y a rien que l'on puisse craindre de laisser à découvert ou de montrer. La transparence des intentions et des convictions nous expose tel que nous sommes et désamorce les attaques sournoises de ceux qui désirent toujours nous ébranler en perçant nos secrets.

15 novembre

Ceux qui vivent avec extravagance sont facilement vains, et ceux qui mènent une vie simple sont facilement vulgaires. Je préfère les gens vulgaires aux snobs.

– Confucius

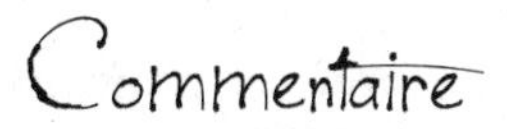

Il est déplorable de se laisser obnubiler par la prestance des gens qui en mettent plein la vue avec leur standing social et leur fortune ou qui passent le plus clair de leur temps à trouver de quelle façon ils peuvent exposer leur opulence. Leur omnipotence matérielle n'est rien si elle dessert le gaspillage.

16 novembre

On peut tuer le général d'une armée, mais non l'ambition dans le cœur de l'homme.

– Confucius

Commentaire

Le désir motivé par la possession du pouvoir et l'accession aux honneurs est un feu d'une ardeur inextinguible qui, lorsqu'il anime l'âme d'un être, peut le mener au bout de ses envies sans égard à la nature des gestes posés.

17 novembre

Le dragon engendre un dragon, le phénix un phénix.

Commentaire

C'est l'exemple que l'on donne à nos enfants, ce sont les valeurs qu'on leur inculque qui les forgent et qui les font devenir ce qu'ils sont. On ne peut pas s'attendre à avoir des enfants équilibrés et heureux si on ne l'est pas soi-même.

18 novembre

Les tuiles qui garantissent de la pluie ont été faites par beau temps.

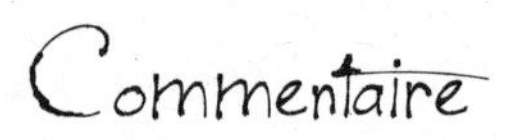

C'est dans les moments d'accalmie que l'on doit se préparer aux éventuelles périodes troubles, c'est pendant qu'on a les idées claires qu'il faut élaborer ses actions stratégiques, c'est quand on est en situation de force qu'il faut agir.

19 novembre

La plus grande vertu est comme l'eau, elle est bonne pour toutes choses.

– Lao-Tseu

Commentaire

L'eau est un élément vital et indispensable à la vie. Là où il n'y a pas d'eau, c'est le dépérissement de la nature et la dégénérescence de la santé. Les esprits pondérés sont essentiels à la sauvegarde de la bonne entente. Là où l'on fait fi du respect règnent la guerre, la dictature, la manipulation, l'injustice et la misère humaine.

20 novembre

Ce qui arrive sans qu'on l'ait fait venir, c'est le destin.

– Mencius

Commentaire

Le hasard n'existe pas. Quand il se produit quelque chose que nous n'avons pas préparé volontairement, quand un événement fortuit arrive, c'est que cela est inscrit dans notre destinée et doit nous arriver pour une raison précise et utile. À chacun de la découvrir et d'en comprendre le message.

21 novembre

Le meilleur usage que l'on puisse faire de la parole est de se taire.

– Tchouang-Tseu

Commentaire

On devrait recourir au silence beaucoup plus souvent qu'on ne le pense, car toute vérité n'est pas nécessairement bonne à dire, toute pensée n'est pas de bon conseil. C'est pourquoi ce proverbe chinois nous suggère de ne pas abuser de la parole et de n'ouvrir la bouche qu'après avoir bien pesé nos mots.

22 novembre

La bienveillance est sur le chemin du devoir.

– Lao-Tseu

Commentaire

On n'a pas que des libertés, mais on a également des obligations à remplir et des devoirs envers les autres. Reconnaître l'impact qu'ont nos gestes et nos choix sur nos semblables, assumer nos responsabilités et accepter les conséquences de nos décisions, c'est vivre avec la conscience ouverte et avec la bienveillance comme principe de premier plan.

23 novembre

On n'accuse jamais sans quelque peu mentir.

Commentaire

Dans une incrimination formulée envers quelqu'un, il y a toujours une part qui nous revient et qui nous concerne un peu. Il y a toujours une portion des torts qui sont de notre propre responsabilité et que l'on cherche à camoufler ou à éviter.

24 novembre

Qui a fermé sa porte est au fond des déserts.

Commentaire

Celui ou celle qui se replie sur lui-même, qui n'exprime pas ses sentiments, qui n'échange ni ne partage son vécu, condamne son âme à errer dans les sombres couloirs de l'isolement.

25 novembre

Qui ne peut payer de sa bourse paie de sa peau.

Commentaire

Quand on n'a pas les moyens financiers de subvenir à ses besoins, quand on prend le risque de vivre au-dessus de ses moyens, il est évident qu'au bout du compte il en aura coûté bien davantage en temps, en argent et en énergie que si l'on avait attendu d'être en possession du montant requis.

26 novembre

La vertu, immuable, ne quitte pas l'homme avec la mort, elle retourne au nourrisson.

– Lao-Tseu

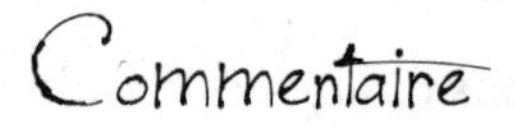

On ne doit pas entretenir l'idée qu'après nous le déluge ! Toute la bonne foi dont on a fait preuve durant notre vie n'est pas vaine et ne se volatilise pas le jour de notre départ terrestre puisqu'elle devient source d'inspiration pour les descendants qui nous ont côtoyés.

27 novembre

Un bol de riz avec de l'eau et le coude pour oreiller, voilà un état qui a sa satisfaction.

– Confucius

Commentaire

Les choses simples et les moyens modestes parviennent à combler convenablement les besoins primordiaux de l'être humain. Le reste, il faut le prendre comme du surplus, comme un cadeau que la providence nous accorde.

28 novembre

Qui voit le ciel dans l'eau voit les poissons dans les arbres.

Commentaire

Quand on se rend compte que l'on est pris dans une situation qui n'a tout simplement pas d'allure, c'est qu'on ne perçoit pas ce que l'on devrait comprendre. C'est bien souvent ce qui arrive quand on refuse de voir les choses en face et telles qu'elles sont : on distorsionne la réalité pour la mettre à son avantage en regardant un paysage renversé...

29 novembre

Être riche et honoré par des moyens iniques, c'est comme le nuage flottant qui passe.

– Confucius

Commentaire

Même si elles semblent payer matériellement, l'irrégularité et la malhonnêteté ne permettent pas à l'individu de laisser un véritable héritage. À part le chiffre pompeux de sa fortune, que reste-t-il à dire de lui ?

30 novembre

Qui reste doux est invincible.

Commentaire

Tyrannie, vengeance, chantage ou envie, rien ne peut déposséder de sa foi ou faire fléchir les convictions de celui ou celle qui y est solidement enraciné. Quand on jouit d'un tel ancrage, la colère est vaine, la sérénité est redoutable.

1er décembre

Je n'ai encore vu personne qui aimât autant la vertu que l'on aime la beauté du corps.

– Confucius

Commentaire

La beauté esthétique, l'apparence et l'éclat extérieur sont source de préoccupations infiniment trop grandes par rapport à ce qu'on devrait réellement leur accorder et par rapport à ce dont on devrait se soucier vraiment, c'est-à-dire l'authenticité de sa personnalité.

2 décembre

Tu pars pour un jour, emporte des biscuits pour deux jours. Tu voyages l'été, emporte tes habits d'hiver.

Commentaire

Il est toujours plus sage de s'attendre à ce que l'imprévisible survienne et de se préparer en conséquence plutôt que de se laisser prendre délibérément au dépourvu.

3 décembre

Connaître les autres, c'est sagesse. Se connaître soi-même, c'est sagesse supérieure.

– Lao-Tseu

Commentaire

Porter attention à autrui, l'écouter, l'aider et le respecter dénote une grande ouverture d'esprit et un niveau de conscience élevé. Mais porter attention à soi, s'écouter, s'aider et se respecter soi-même démontre une maturité encore plus grande, car il faut s'aimer soi avant de pouvoir aimer véritablement les autres.

4 décembre

Un frère est un ami qui nous a été donné par la nature.

Commentaire

Malgré les différends et les mésententes qui surgissent au sein d'une même famille, les liens du sang et la mise en commun du vécu scellent naturellement les relations qui prévalent entre les frères et sœurs. Sans avoir à faire l'effort de le rencontrer, de le découvrir, le frère ou la sœur est un ami ou une amie pour la vie.

5 décembre

Celui qui ne réfléchit pas et n'établit pas son plan longtemps à l'avance trouvera les difficultés à sa porte.

– Confucius

Commentaire

La réalisation d'un projet est toujours plus facilement exécutable et comporte moins d'embûches lorsqu'on a pris le temps d'y penser et d'élaborer une suite d'étapes, au préalable. Il suffit d'un peu de cogitation et de prévoyance pour limiter les déconvenues et minimiser les complications.

6 décembre

Se rencontrer et être amis, rien de plus facile; demeurer ensemble et vivre en paix, voilà qui est difficile.

Commentaire

Aussi fort puisse être le lien amical qui unit deux personnes, il ne peut garantir la bonne entente et le respect mutuel dans un contexte de vie commune. C'est dans le partage des banalités de la vie et à travers le rituel des tâches quotidiennes que l'on est à même de constater si l'on respecte l'autre assez pour mériter son amitié et sa confiance.

7 décembre

L'homme supérieur pratique la vertu sans y songer, l'homme vulgaire la pratique avec intention.

– Lao-Tseu

Commentaire

Être serviable et attendre un service en retour, être aimable pour être aimé en retour, être raisonnable pour attirer l'admiration sont des comportements qui ne correspondent pas à ce qu'est la sagesse. La sapience ne commande aucune attente, elle dicte les actions par la pureté des intentions.

8 décembre

Une parole venue du cœur tient chaud pendant trois hivers.

Commentaire

Un seul mot d'encouragement, lorsqu'il émane d'un cœur sincère, apporte un soulagement et insuffle une bonne dose de courage pour des jours et des jours durant.

9 décembre

Celui qui veut être riche ne sera pas bon ; celui qui veut être bon ne sera pas riche.

– Mencius

Commentaire

Lorsqu'il devient la préoccupation première, l'appât du gain ne tarde habituellement pas à mettre en œuvre les désirs insatiables de l'ambition et à distorsionner les facultés du gros bon sens et du discernement de l'affamé. Lorsqu'elle est le fondement des pensées, la sincérité refuse d'emprunter les chemins de la convoitise et de l'envie. Pourtant, certaines personnes parviennent tout de même à combiner richesse et bonté. Leurs mérites n'en sont que plus grands d'avoir su garder la tête froide et le cœur vaillant.

10 décembre

Un mot dit à l'oreille est quelquefois entendu de loin.

Commentaire

Pour qu'un secret reste secret, il ne faut tout simplement pas ouvrir la bouche, ni le souffler à qui que ce soit, même pas à celui qu'on croit être son plus fidèle ami. Ce dernier n'est pas à l'abri de l'oubli ou de la distraction...

11 décembre

Je n'ai pas encore vu un homme qui ait pu apercevoir ses défauts et qui s'en soit blâmé intérieurement.

– Confucius

Commentaire

Les êtres humains ont une telle difficulté à admettre leurs erreurs qu'ils préfèrent les ignorer et mettre la faute sur quelqu'un d'autre. Il est beaucoup moins impliquant de se considérer comme une pauvre victime plutôt que de reconnaître ses torts et de se mettre à la tâche pour les corriger.

12 décembre

Le bonheur naît du malheur.

– Lao-Tseu

Commentaire

Une contrariété, une peine surmontée amène au contentement et à la joie. Quand on n'a jamais sillonné les méandres de la douleur et qu'on n'a jamais eu à se libérer de la souffrance, on ne peut prétendre connaître la route qui mène au bonheur.

13 décembre

Qui oublie les bienfaits se souvient des injures.

Commentaire

Quand on reste accroché délibérément aux aspects négatifs de notre vie, quand on focalise sur le mal qu'on nous a fait, on n'a plus de référence quant à ce qui est bon et bien, et on perd la faculté de voir le positif dans ce qui nous arrive. La frustration et la colère deviennent alors les acteurs principaux de notre propre scénario.

14 décembre

Qui élargit son cœur rétrécit sa bouche.

Commentaire

Les personnes qui agissent en toute bonne foi et en faisant appel à leur conscience ne ressentent pas le besoin de se faire voir ou de se faire entendre. Animés par les élans de leur cœur, leurs actes parlent pour eux et leur discrétion ne rend leur signification que plus percutante.

15 décembre

Quand le ciel veut sauver un homme, il lui donne de l'affection pour le protéger.

– Lao-Tseu

Commentaire

Par-dessus tous les besoins indispensables de l'être humain, s'il en est un seul qu'il devrait choisir pour assurer son équilibre et sa survie, il devrait opter pour l'amour. L'amour de soi, l'amour de ses proches, l'amour de ses semblables, l'amour de la nature, l'amour du travail, l'amour sous toutes ses formes est le sentiment de base par excellence qui, lorsqu'il est mis de l'avant, lorsqu'il est le véritable moteur, conduit au respect mutuel et à l'épanouissement.

16 décembre

Seul l'étang tranquille reflète les étoiles.

Commentaire

Il faut être en paix avec soi-même et être habité par le calme pour être capable d'écouter les messages de son âme, de son côté divin. Chaque individu a un rôle à jouer, une mission à accomplir et, pour la découvrir, il se doit de tranquilliser son esprit pour entendre sa voix intérieure lui dicter la voie de son bonheur.

17 décembre

Celui qui s'approuve lui-même ne brille pas.

– Lao-Tseu

Commentaire

La discrétion et la modestie sont garantes des bonnes intentions et attirent la confiance. Conséquemment, la considération et la renommée arrivent par l'approbation et la reconnaissance de ses pairs.

18 décembre

Un melon très sucré a la tige très amère.

Commentaire

Les résultats mirobolants obtenus parfois ne permettent pas de se douter à quel point l'élaboration de ces derniers a pu être aride et pénible.

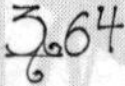

19 décembre

Un déménagement, c'est la pauvreté pour trois ans.

Commentaire

Quand on effectue des changements dans sa vie, il faut s'attendre à devoir passer dans une zone de transition et à entrer dans une période d'adaptation qui peut nécessiter quelques pertes temporaires.

20 décembre

Cherchez, et vous trouverez.

– Mencius

Commentaire

Tout ne tombe pas du ciel ! Quand on aspire à quelque chose, il faut trouver la manière d'y arriver, il faut s'activer pour la concrétiser. Quand on est insatisfait de son sort, il faut réagir pour renverser la situation. La passivité et l'impassibilité ne mènent nulle part.

21 décembre

Une injustice n'est rien si on parvient à l'oublier.

– Confucius

Commentaire

On ressort davantage grandi et serein après avoir subi une circonstance inéquitable ou un acte irrecevable lorsqu'on ne reste pas accroché impunément à ce dernier et qu'on ne focalise pas toutes ses énergies à le ruminer, à le repenser.

22 décembre

On mesure les tours par leurs ombres et les grands hommes par le nombre de leurs détracteurs.

Commentaire

Plus la réussite sourit à quelqu'un, plus une personne se rapproche des hautes sphères du succès, plus le nombre de personnes désirant le voir tomber est grandissant. Dans certaines sociétés, l'excellence est redoutée à un point tel qu'on fait tout pour la dénigrer.

23 décembre

L'erreur est égale, que l'on dépasse les bornes ou que l'on reste en deçà.

– Confucius

Commentaire

Peu importe qu'il soit commis par trop de bonne volonté, par manque de cohésion ou par malhonnêteté, un fourvoiement demeure ce qu'il est : une erreur qui demande réparation envers celui ou celle qui l'a subie.

24 décembre

Qui connaît son cœur se défie de ses yeux.

Commentaire

Il faut apprendre à voir avec les yeux du cœur et à ne pas se fier uniquement à ce qui se dégage des apparences essentiellement extérieures. La compréhension, la compassion et l'empathie sont des lentilles qui permettent de jauger son prochain plus vraisemblablement.

25 décembre

Lorsqu'on achète des souliers, on s'informe du pied.

Commentaire

Aller à l'essentiel, directement au cœur de ce qui nous intéresse, et cesser de tourner autour du pot. En plus de constituer des pertes pures d'énergie et de temps, les tergiversations et les grands sparages nous éloignent du but à atteindre.

26 décembre

On connaît le cheval en chemin, et le cavalier à l'auberge.

Commentaire

C'est dans le feu de l'action et sous le coup de la pression que l'on découvre le rendement et le potentiel dont une personne est capable, c'est en socialisant avec elle dans l'informalité que l'on se rend compte de sa personnalité propre.

27 décembre

Le sage paraît lent, mais il sait former des plans habiles.

– Lao-Tseu

Commentaire

Quand on sait prendre le temps d'analyser une situation et d'y réfléchir, on est plus à même de concocter une stratégie efficace et infiniment plus rentable en bout de ligne. En réfléchissant avant de répondre à une demande ou avant d'agir, la personne va puiser son inspiration dans sa réserve de sagesse et augmente son efficience.

28 décembre

Il n'est métal si dur que le feu n'amollisse, ni affaire si mauvaise que l'argent n'accommode.

Commentaire

Quand on a la foi et une confiance inébranlable en ses moyens, rien ne peut nous résister, rien ne peut nous décourager. Il ne faut surtout pas nous laisser impressionner, et il faut aller de l'avant.

29 décembre

Le ciel n'a pas deux soleils, le peuple n'a pas deux souverains.

– Mencius

Commentaire

Tout comme le système solaire s'harmonise et s'organise autour d'une seule et même grande force, les populations devraient, pour atteindre cet équilibre, rassembler et unir leurs efforts sous l'égide d'une seule et même philosophie visant le bien de l'humanité.

30 décembre

Pour extraire une épine, servez-vous d'une épine.

Commentaire

Il faut guérir le mal par le mal. On doit constamment garder en mémoire qu'un malaise, une difficulté ou un drame nous arrive toujours pour nous aider à comprendre quelque chose ou à en tirer une leçon. L'épine fait souffrir, mais elle est aussi source de guérison.

31 décembre

L'homme supérieur ne se tourmente pas.

– Confucius

Commentaire

La personne qui ne se laisse pas abattre, qui sait rester calme dans la déveine, qui n'entretient pas de sentiment de persécution lorsque la malchance semble lui tomber dessus et qui ne se sert de ses déboires pour devenir un peu plus fort à chaque fois, cette personne a trouvé la voie de la sagesse.

Vos pensées

Vos pensées

Vos pensées

Vos pensées